SV

Volker Braun
Die hellen Haufen

Suhrkamp

Erste Auflage 2011
© Suhrkamp Verlag Berlin 2011
Alle Rechte vorbehalten, insbesondere das
der Übersetzung, des öffentlichen Vortrags
sowie der Übertragung durch Rundfunk
und Fernsehen, auch einzelner Teile.
Kein Teil des Werkes darf in irgendeiner Form
(durch Fotografie, Mikrofilm oder andere Verfahren)
ohne schriftliche Genehmigung des Verlages
reproduziert oder unter Verwendung
elektronischer Systeme verarbeitet, vervielfältigt
oder verbreitet werden.
Druck: Druckhaus Nomos, Sinzheim
Printed in Germany
ISBN 978-3-518-42239-7

1 2 3 4 5 6 – 16 15 14 13 12 11

Die hellen Haufen

Was wir nicht zustande gebracht haben, müssen wir über-
liefern.   Ernst Bloch

1

Der Aufstand, von dem hier berichtet wird, hat nicht stattgefunden. Er war auch mehr ein Krieg, der nur von einer Seite geführt wurde, und die andere hat stillgehalten. Wenn er seine Wahrheit hat, so nicht, weil er gewesen wäre, sondern weil er denkbar ist. Man glaubt die Geschichte zu kennen, aber sie hat mehr in sich, als sich ereignet: auch das Nichtgeschehene, Unterbliebene, Verlorene liegt in dem schwarzen Berg. All das Ersehnte, nicht Gewagte, und die alte Lust *zu handeln.* Tief verborgen, verschüttet, zubetoniert der Widerstand; die hellen Haufen, die nicht losgezogen sind, um die Schlacht zu schlagen.

Ich beginne wie ein Narr mit den Fakten.

Am 7. April blieben die Bitterröder im Schacht. Die Frühschicht, die mit 175 Mann in der Grube war, weigerte sich auszufahren. Auf dieses Signal hin wurde auch übertage das Werk besetzt. Berndt, mit Fieber angetreten, hielt mit unten aus.

Er hatte den Platz von Rüttemann in der Instand-
setzung übernommen, der als Betriebsrat freige-
stellt worden war. Barbara hatte Berndt zuhause-
halten wollen und ein hartes Gesicht gezogen,
weil er krank zur Arbeit ging. Aber Arbeit war
nichts, was man ruhen ließ.

Jetzt brannte vorn an der Wache ein Feuer. Dort
war seit Jahr und Tag eine Steintafel angebracht:
DIE MACHT SOLL GEGEBEN WERDEN
DEM GEMEINEN VOLK. Das war so etwas
wie ein Firmenschild des Thomas-Müntzer-
Schachts. Wer sie geben soll, war nicht vermerkt,
und ob es sie haben will, wurde nicht gefragt.
Das Volk hier: arbeitssam, zaumselig; Unterta-
nen über Tag, Untermänner im Schacht. Als das
volkseigne Werk, weiß der Teufel warum, verkauft werden sollte, war das gottgegeben. Darum
wurde es der *Treuhand* unterstellt. Als die es aber
nach menschlichem Ratschluß schließen wollte,
war das nicht zu glauben. Das Salz, das sie aus
der Erde gruben, war so seltenrein, daß keiner
im Osten und Westen konkurrieren konnte. Sie
hatten eher fürchten müssen, sich zuzuschütten,
weil der Rückstandsberg schon das Tal verschloß.
Nun legte die mächtige Kali und Salz AG ihre

Berge dazu, und der Fusionsvertrag wurde wie ein Geheimnis verhandelt, in das kein Betriebsrat und Rechtsanwalt Einsicht erhielt. Ja, wenn ihr Roter Berg weiß gewesen wäre wie in Zielitz! Für ihre Sorte Salz hätte die BASF umrüsten müssen. – Merkers wurde zugemacht, weil man das Flöz von Westen anbaggern konnte. Roßleben, das für hundert Jahre Vorrat hat, wurde kein Jahr gegeben. Da war Bitterrode gewarnt.

Sie harrten auch am Karfreitag untertage aus. Barbara war zornig über diese Sturheit. Rüttemann mußte Berndt zu dem Unfug beredet haben. Sie wartete lange vor ihrem Häuschen in Holungen. Dann lief er, tatsächlich, bei der Kreuzwegandacht mit, zu der die Kumpel ausgefahren waren. Er holt sich in seiner dünnen Kluft den Tod. Berndt wies die Frau aber schroff zur Seite, um mit dem stummen Haufen wieder abzuziehn. Am Ostersonntag beteten sie in sechshundert Meter Tiefe.
Natürlich ging unten die Arbeit weiter und oben der Arbeitskampf. Das Wort hatte man nie gehört. Auch der Landtag in Erfurt führte ihn nicht unter seinen Begriffen. Rüttemann, nicht

parteigebunden wie sein Kompagnon Brothuhn, spannte man vor den Karren. Seine drei Bedingungen: 1. kein Produktionsausfall, 2. kein Personenschaden, 3. keine Sachbeschädigung. Das wurde soweit eingehalten. An der Bundesstraße 80 standen Barrikaden. Bürgermeister und Kommunalpolitiker hatten sie errichtet. An ihnen vorbei fuhr ein Konvoi von 120 Wagen nach Kassel, wo Kali und Salz residierte.

Am 1. Mai marschierten 4000 an die ehemalige Grenze. Vor drei Jahren war sie unter Jubel geöffnet worden. Sie spürten in den Knochen noch das frohe Gefühl, das ein frischer Zorn verwirrte. Das erste Birkengrün stand Spalier, die violetten Fahnen wehten. Dem ungeheuren Zug voran schritt Bischof Wanke, das halbe Eichsfeld kam mit. Im Eichsfeld waren die Demonstrationen Prozessionen. Von der anderen Seite sah man verwundert die neu aufgerichteten Zäune: KEIN KOLONIALGEBIET. Wanke zur Menge: *Ihr seid das Salz der Erde. Wenn nun das Salz kraftlos wird, womit soll mans salzen? Es ist zu nichts hinfort nütze, denn daß man es hinausschütte und lasse es die Leute zertreten.* (Matthäus 5,13) Da waren sie schon verdammt, oder wie Rüttemann rief: Verkauft und beraten. Quatsch, sagte Teusch, der Vorstandssprecher, vor versammelter Mannschaft: Wenn Sie einen Käufer finden – dann bitte. Der Käufer fand sich: in dem Unternehmer Peine. Der stand, ein breiter Mann aus Westfalen, eines Tages vorm Förderturm. – Peine, flüsterte Brothuhn, das ist unser Mann. – Seid ihr meine Leute, fragte Johannes Peine. Sie nahmen die Mützen ab. Er will uns kaufen, freute sich das billige Pack. Aber den Retter Peine sah das Geschäft nicht vor.

Als am 1. Juli der Bundestag die Kalifusion protegierte, traten zwölf Bitterröder in den Hungerstreik. Berndt gehörte zu ihnen, Jendreck, der Grubenbetriebsführer Hensel. Wie Berndt Barbara seine Absicht erklärte, hatte sie eben Klöße gebrüht und den Braten geschnitten. Sie kam aber nicht dazu, ihn aufzutragen, weil sie in Streit gerieten und der dumme Mann ungesättigt aus dem Haus lief. Ich kriege auch morgen nichts, warum soll ich heute essen, sagte Berndt, und die Logik erbitterte Bärbel; das Hungerlager wurde in der Kantine aufgeschlagen. Da blieb das Bett neben Bärbel wieder leer.

Am nächsten Tag hungerten zwanzig, am dritten Tag vierzig. So kam es, daß in der Zeit kein Mann bei seinem Weib lag und kein Weib nach dem Mann verlangte; weil sie nicht arbeiteten, kam auch die andre Lust zum Erliegen. Es war, als wäre diese ganze Förderung aufgegeben. Nicht daß da keine Vorkommen, keine Lagerstätten mehr gewesen wären, aber man konnte nicht einfahren. Es mangelte gleichsam an der gewohnten Kühnheit und Hingabe an die Dinge. Die ganze Ausbeute war, daß man den Arm um die Schulter legte. Denn auch die Liebe ist eine Produktion und kann eingestellt werden.

Am achten Tag machte Berndt schlapp. Kaltes Fieber, die Blutwerte schlecht. Barbara hörte den Sanker fahren, und Jendreck erschien, um ihr Bescheid zu geben. Sie wollte ihm eine Schnitte machen, Jendreck schüttelte den Kopf: und schob die Schnitte unverschämt ins Maul. Er ging dann wieder »ans Werk«. Vor der Tür blieb er stehn und würgte das Brot heraus. Bald drauf kam Pfarrer Klagroth, auch der Bürgermeister und Rüttemann. Barbara schluchzte, um sich zu schämen für den Mann. Es hielt sie nicht auf dem Stuhl, sie hantierte wütend, rührte Kuchen an und stellte Tassen und Teller heraus. Sie ließen sich aber nicht nieder, sondern beteten ihn gesund. Und gingen unverrichteterdinge.

In der Nacht verließ Bärbel der Hochmut. Dreißig Jahre war Berndt im Betrieb. Sie hatten das Haus verputzt und die Heizung einbauen lassen, vom Umgetauschten (2:1) und einem Kredit. In der Spinnerei Leinefelden waren sie alle entlassen. Was hatte Klagroth gesagt? Wir werden über die Klinge springen. Am Morgen ging sie in die Kantine, um sein Hungern fortzusetzen. Sie spähte nach einem freien Platz. Kann ich hier bleiben? – Henkel staunte: Die Bärbel Berndt. Es roch nach Kaffee und verschlafner Luft. – Du bist kein Mann. – Du brauchst was in deinen Leib. – Die Männer lachten. Es war ein kraftloses, verhungertes Lachen. – Mit so viel Kerlen willst du schlafen? – Wachen, sagte sie. Für seinen Platz im Schacht. Sie zeigten ihr die Pritsche, auf der er gelegen hatte.

Dem Beispiel Barbaras folgte ein Dutzend Frauen. Man teilte für sie mit Stücken Pappe einen Verschlag ab. An der alten Essenausgabe steckten die Speisenschilder: Rostbraten, Eisbein, Bratkartoffeln. Auf eine Campingliege war ein Skelett gebettet. Dorthin wurden die Journalisten geführt. Barbara wars in den Nächten flau, tags konnte sie sich nicht erheben. Herzrasen, Schwindel. Übrigens war der Verschlag eine nutzlose Maßnahme. Keins hätte sich zu einem andern gelegt. Kaum aus dem eignen Leib war ein Quentchen Lust zu schlagen. – Neben ihr hockte die alte Marie Luft, die sich auch nicht hatte abweisen lassen. Sie saß so würdevoll auf ihrem Lager, daß man sich an ihr aufrichten konnte. Und furchtlos holte sie wieder was unter dem Rock vor und kaute verstohlen, was ihr nicht die Würde nahm.

Am Werktor standen nun Hunderte, mit verschränkten Armen; man tat nichts Unrechtes, man tat nichts. Finger, der mit einem NVA-Jeep angereist war, wunderte sich, wie sachte und ruhig die Leute redeten, mit welcher Langmut sie der Geschichte zusahn. Da er abschätzig um sich blickte, hielt ihn Ihse für einen Kaufinteressenten. Finger bestätigte das mit seinem kalten lauten Lachen. Er sagte Ihse, Jakob Luft und Wolfgang Goethe immer dasselbe: Ihr müßt euern Anteil verlangen. – Welchen Teil? fragte der junge Jakob. Sie hatten davon garnichts gehört oder das vergessen. – Täglich brachten Busse Protesttouristen und Abordnungen aus Betrieben. Sie kamen aus Hettstedt und Halle, aus Sangerhausen und Suhl. Und Rüttemanns Emissäre fuhren, den Kofferraum voll Salz, nach Zella-Mehlis und Merseburg, Schmalkalden und Schwerin. Das Salz wurde überall in die Wunden gerieben.

Im August fand in Kassel eine Kundgebung statt mit zweitausend Leuten, die die Bergbaugewerkschaft zusammengebracht hatte, um die Fusion zu begrüßen. Sie waren ortsborniert und welterfahren. Die Schließungen, hüben und drüben, nahmen sie in Kauf, zumal es hüben damit Weile hatte. Verräter, nannte sie Rüttemann, der Berndt aus dem Krankenhaus holte. Er zeigte ihm eine Großannonce, die die Kapitulation empfahl. In dem Feuer neben der Wache loderten jetzt die Gewerkschaftsausweise.

Zwei Monate hielten sie im Hungersaal durch. Der eine und andre war herausgetragen worden und war wieder hereingetappt. Als Berndt kam, räumte Barbara wortlos den Pfuhl. Irgendwann war man mit der Kraft am Ende. Aber das Harren und Hingehaltenwerden ging weiter. Die Politiker klopften Sprüche, und die Minister versprachen, oben anzuklopfen. Natürlich geschah, was Kali und Salz diktierte.

Da blieb noch Peine, und der Papst. Peine in Westfalen, der sein Interesse öffentlich machte, konnte rechnen. Aber die einfachsten Zahlen beherrschte er nicht. Im Vorstand der ostdeutschen Kalibetriebe, Sitz Sondershausen, saßen fünf Mann: vier Westdeutsche, drei direkt von Kali und Salz. Das war die Grundrechenart. Der Vorstand forderte ultimativ, die Werkbesetzung zu beenden, und drohte, die Grube noch im Sommer zu schließen. – Der Papst gewährte den Bedrängten die Audienz. Dechant Klagroth, Pastorin Hase und sechs vom Betriebsrat fuhren nach Rom. Es war zu klären, wessen Wille geschehe im Himmel auf Erden. Sie argumentierten mit dem Gleichnis von David und Goliath, das seine Entsprechung finde. Seine Heiligkeit sagte: er hoffe, daß sich die Lage zum Guten wende. Er sagte nicht: *glaube*.

Unfehlbar begannen sie nun ihren Marsch. Ihrer zwanzig oder neunzehn, die abkömmlich waren. Sie stellten sich nämlich auf die Hinterbeine. Wenn die Treuhand nicht den Vertrag offenlegte, wollten sie ihr in die Karten sehen. Rüttemann, in den Aufsichtsrat kooptiert, blieb der Ordnung halber vor Ort. Der kleine Knäuel setzte sich in Bewegung, um den Faden allen Unglücks aufzurollen.

Die neue Wallfahrt hielt Bärbel für so eine Hungeridee. Berndt war wieder unter den Unbelehrbaren. Der zu Fuß losgeht, bis Bleicherode oder bis Berlin. Mager geworden, daß die Hosen rutschen. Er mußte sich vorher anhören, was die Welt dann denkt. So ging er bedrückt und beladen, und da er noch hungerte, waren die bitteren Worte die ganze Zehrung. Im Grunde war er nach Liebe ausgehungert.

Es war ein regenverhangener Tag. Die zwei Transparente schlappten im Wind. Zwei Polizisten begleiteten sie, die mit ausschreiten mußten. Wenn man nach Nordhausen, nach Sangerhausen käme, wären sie mehr. Man würde dann sehen, wie sich die Tausend, die Zehntausend, die Hunderttausend vorwärtsbewegten! So dachten ihre Seelen, als sie den Ausflug machten. Aber sie zählten sich in Nordhausen, Sangerhausen auch an fünf Händen ab. Sie liefen wie Wanderer am rechten oder linken Straßenrand. – Zehn Frauen und Männer im Zug waren noch im Hungern begriffen, dann teilten sie es vernünftigerweise auf, wie man ein Laib Brot teilt, und jeder war einmal der *Hunger-lappen*. Darauf mußte man kommen, den Hunger verteilen. Das schmeckte nach Gerechtigkeit. Manchmal reihten sich zwanzig, dreißig ein, und splitterten wieder ab. Aber das Herz schlug vor Erwartung. Sie wurden in Rathäusern empfangen. In Bernburg verlief die Diskussion kontrovers. Man hielt sie für Einzelgänger. Sie waren nicht Frauen und Manns genug. Am Morgen ließ sich der Bürgermeister blicken. Er kam, um dem Spuk hinterherzusehn. Man hat seine Sache, er sich die Beine vertreten. – Von Bernburg bis Schönebeck: Dörfer. Hundegebell. Immerhin trat die Sonne hervor, die Chausseen dampften, Tierkadaver, plattgefahren, rochen. Das aufgequollene Schuh-werk, bis auf die Brandsohle durch. Blasen näß-ten unter Blasen, am Knöchel das schiere Fleisch. Nachts wickelte Ihse die Binden und Bandagen ab. Man lag durcheinander, was Mann und Frau war, nicht auseinanderzuhalten. Sie gaben am Tag soviel Glanz und Leben her, da war man ganz stumpf und abgerieben.

In der zweiten Woche waren sie in aller Mun-de. Hensel im Transporter hörte die Sender ab.

»Jeder Einzug ein Fest, jeder Kontakt wird enthusiastisch angegangen.« Barbara las es in der Zeitung. Sie las es unwillig gern. Es geht friedlich zu. Wessen Urlaub ablief, der mußte zum Schacht zurück. Die Grüber kam samstags, weil der Enkel eingeschult wurde. Die zog wieder los. – Man sah durch die Fenster auf den Treck, wanderndes Volk. Geduckt in die gelben Regenjacken schienen es Clowns zu sein. Ein Narrenzug (die Polizisten eingeschlossen), pfeifend, eine Karnevalsrotte, man applaudierte diesen Artisten, aber keiner kam mit.

Sie waren nun ein einziger Leib, den der Wind kämmte und auf den der Regen schlug. Die Blicke, die Rufe am Straßenrand galten ihrer (kleinen) Zahl, vor allem das kalte Schweigen traf sie insgesamt. Nur Jendreck mit dem Megaphon ragte ein wenig heraus. Autofahrer, um sie herumgelenkt, hupten: ungeduldig solidarisch; in Genthin ein Mensch auf dem Fahrrad wilderregt: Wessen Straße ist die Straße! machte sich Platz, Jendreck röhrte: Wessen Welt ist die Welt. – Sie waren in der Welt ein Häuflein. Man zählte jetzt die Polizeikräfte mit. Sie dachten dann, daß ihr Same nicht aufgehen könnte. Im roten Mansfeld hatten sie auf Schiefer gebissen. Als sie in Magdeburg über die Elbbrücke zogen, schloß SKET die Tore. Das Stahlwerk Brandenburg *ausgestorben*.

Irgendwann erreichten sie das Weichbild Berlins. Klagroth und Brothuhn stießen zu ihnen. Die Stimmung stieg. Hier war ein härteres Pflaster. Ein anderer Schlag Polizisten, die Hosen ausgebeult von Waffen. Die fuhren in Mannschaftswagen vor. Man hatte wohl keinen Aufmarsch sondern einen Aufstand gemeldet. Die Aufgestandnen liefen ihrer armen hundert neben den Hundertschaften; man konnte sagen: sie führten die Polizei herum. In Schöneweide ging es an den Backsteinfassaden entlang, hinter denen Zehntausende tätig gewesen waren: ein *Heer*. Es lag im Schlafe. – Wilhelminenhofstraße Ecke Edison hielten sie an. Ein kleiner drahtiger Mann stand am Bordstein und musterte durch die Brille das Fußvolk. Holt euch den Anteil, sagte Finger. Ihse erkannte ihn. Welchen Anteil, wiederholte Jakob. – Am Eigentum! Er lachte wieder laut. – Diese Leichtsinnigen einerseits, auf der andern die Schwerbewaffneten wiesen den Weg, so daß sie weitermußten in den viel zu breiten Alleen oder durch Baustellen gezwängt. In der Friedrichstraße stellte Hensel sich, freundlich grüßend, in einen Taxistand, meinend, den Protestkonvoi erreicht zu haben, und wurde aufgeklärt. Sie trieben, fast ohne den Boden zu treten, in der unbeteiligten Menge, die sie in der Mangel hatte, dergestalt, daß sie, als sie zur Festung der Treuhand kamen, ihre Mission gescheitert sahn.

Sie führten aber ihr Salz mit sich und kippten die Säcke vor das Gittertor. Diese unbestellte Lieferung nahm die Polizei entgegen. Berndt wurde von einem Knüppel am Kopf getroffen. Er lag am Boden, einen roten Heiligenschein um sein Haupt verströmend. Die Bitterröder standen vor dem Rätsel. Das war ihr rotes Salz, *hinausgeschüttet und zertreten*. Als sie ihn von der kleinen Halde zogen, hatte Berndt das Salz im Mund. Er schmeckte das Unglück. Er hatte genug davon. Die Menge gaffte, ohne Rat zu wissen. Sie war nicht erzogen einzugreifen. Es hatten sich aber Zivilpolizisten daruntergemischt, um unerkannt zu randalieren. Sie holten Pflastersteine aus den Kutten. Mit den Eiern, die im Schock geworfen wurden, war nicht der Hungermarsch versorgt gewesen; aber der Minister (und Manager) Schufft konnte sagen: Wer mit Eiern werfen kann, dem gehts noch nicht dreckig. – Es war nicht die Handvoll, die kämpfte, es war eine Macht, die bereit war zur Schlacht.

Am Abend sah man das Haupttor der Treuhand mit Ketten verhängt und die Anstalt symbolisch geschlossen. Tage später lagen die Wanderer in ihren Säcken vorm Reichstag. Wie Bettler, sagte Finger. Die Hausherrin, Frau Süßmund, ließ die Freitreppe räumen.

Der verletzte Berndt wurde Bärbel ins Haus geliefert. Sie konstatierte an dem Mann: Produktionsausfall, Personenschaden. Sie sah nun, und sagtes: wohin es führt. Berndt legte die Hände an die Ohren, als wenn sein Kopf schmerzte, aber er hörte ja wohl. Grubenbetriebsführer Hensel war die Kündigung angedroht worden, der Betriebsrat hatte Widerspruch eingelegt, und was war die Folge? Hausverbot. Aber auch Berndt war nicht um Argumente verlegen. Hundertzwanzig aus der Spät- und Nachtschicht waren nach Sondershausen gefahren und haben den Fall in Ordnung gebracht. Sie haben sich jedenfalls an die Ordnung gehalten Und das Arbeitsgericht in Mühlhausen untersagte einstweilig jede Betriebsänderung und Stillegung. Klagroth durfte Hoffnung verkünden.

Ende November wurde Rüttemann zur Sitzung des Aufsichtsrats eingeladen. In dem Schreiben war weder Ort noch Zeit vermerkt. Auch eine Tagesordnung war nicht angegeben. Auf seinen Anruf wurde er ins Sheraton-Hotel Frankfurt (am Main) beschieden. Der Vorsitzende Prof. Segen erwarte ihn zum Frühstück. Rütte ließ ausrichten: Mit wem er Kaffee trinke, suche er selber aus. Wo die Sitzung sei? – Er erhielt keine Antwort. Dieser Frechheit wegen nahm der besonnene Mann fünfhundert Leute mit. In Frankfurt wurde ihm mitgeteilt, er solle sich zum Flughafen begeben. Er wunderte sich nicht schlecht und machte einmal den Weg. Er wurde zu einem kleinen Flieger geleitet, in dem die Aufsichtsräte schon angeschnallt saßen. Wohin sie denn flögen? wollte Rüttemann wissen. – Nehmen Sie Platz, wurde erwidert. Sie werden es sehen. – Rütte, nicht seine Leute vergessend, fünfhundert wie gesagt, vor dem Sheraton, bestand auf der Frage, und Segen, ihn herzlich am Kopf fassend, sah ihn gewinnend an, während er mit erhobenem Arm zur Eile drängte. Die Rotoren liefen, man verstand sein Wort nicht: seine Frage, und weil sie unbeantwortet blieb, stieg Rüttemann aus der Maschine. – Sie ist mit dem Aufsichtsrat nach München entwichen, und Segen ließ noch am Abend die Grube endgültig schließen.

2

Das Mansfeld nennt sich nach der roten Lette; sein roter Name meint nicht die Gesinnung, sondern die Gewinnung. Es war immer ein unruhiges Land, freilich in gehöriger Tiefe; oben nicht: unten ging das Leben verschlungene Wege, und sie fuhren mit Lampen im Streb. Übertage Selbstversorger, untertage aufeinander angewiesen; Wettersteiger und Milchtrinker wegen der Stäube und Gase. Oben die Straßen mit Schlakke gepflastert, unten im Berg der Wald verbaut. Sie lebten davon, Berge zu versetzen, nämlich aus der Erde zu haun. Und wirklich sieht man überall Halden und Hohlen, alte, eingesunkene Schlacken und die mächtigen grauen Kippen, in hundert Jahren unter den Himmel geräumt. Eine unnatürliche Landschaft, unideal, wie man sie nebenbei produziert; als hätte der Boden von der Arbeit brodelnd Blasen geschlagen. Wo er ausgeholt war, versetzten die Berge den Glauben, und sie zogen ins nächste Revier oder wurden überirdische Wesen.

Aber auch der Mansfeld AG schlug die Stunde, und im Koenen-Schacht wurden 2500 nachhause geschickt. Das war ihnen noch nicht passiert, bei vollem Entgelt entlassen zu sein, und sie streckten die urlaubenden Glieder. Siebenhundert und einige ließ man noch ein, um Dämme gegen das Sikkerwasser zu bauen, Gleise zu demontieren und Schrott herauszuholen. Sie waren die dankbarsten und verlogensten Leute, die von sich sagten, sie hätten Glück gehabt. Reviersteiger Henning, zweifacher Aktivist, zählte zu den Ausgewählten. Er war ein sicherer, ruhiger Mann und arbeitete aus dem Kern, seinem Selbstgefühl. Froh, noch beschäftigt zu sein, bedrückte ihn nun jeder Griff, den er gleichwohl tat. Zum Schrott gehörte alles Gerät, von der Schwerstange bis zur Schrappanlage. Du schaffst das schon, sagte Hanna, seine Frau, die in der Verwaltung auf Abruf saß. Das war der Ton, den er haßte und der ihr über die Lippen lief, wenn ihm was nicht glückte. Schaffst du es? Du wirst das wohl schaffen. Er sah nicht ihre Blicke voll Angst, oder Mitgefühl. In ihrer Etage wurde mit der Treuhand verhandelt, in seinem Schacht wurde Klarschiff gemacht. Oben ließen sich Konsortien blicken, Konzepte wurden erstellt und die Zukunft bestimmt. Unten die Kolonnen hatten das Grubenfeld zu *verwahren*. Sie waren die Zuhälter der Zukunft. Es war ein Fehler, daß es das Oben und Unten gab, die Vielen hätten anders verhandeln können. *Der ist der Herr der Erde / Wer ihre Tiefen mißt / Und jegliche Beschwerde / In ihrem Schoß vergißt.*

Dann war in der Zeitung vom ENDGÜLTIGEN AUS zu lesen. Und als gelte es, die Sprache verständlich zu machen, sollte der Hauptförderschacht mit Beton vergossen werden. Das kam auf Henning zu. Die endgültigen Tatsachen waren nicht zu begreifen, aber zu *schaffen*. Hanna wollte den Mann begleiten zu der letzten Schicht, merkte aber, wie er sich wandt, hastig den Kaffee austrank und voreilig aufbrach. Du schaffst das, sagte sie bloß, und blieb am Tisch zurück. – Er schlich am Abend wie von einer Hinrichtung heim. Vor der Tür traf er auf Hanna. Er erkannte sie beinah nicht. Sie hatte ihr Geld in der Sparkasse abgehoben und sich in Halle in Schale geworfen, um sich *in Göttingen* vorzustellen. Henning nahm sie am Handgelenk, sprachlos über den

Leichtsinn, die Ersparnisse dranzusetzen. Sie hob die Hand an seine Lippen und schritt ins Haus. Du schaffst das hier schon. – Was denn? – Dich wehren. – Wogegen? Sie blitzte ihn an, und hielt ihn plötzlich heftig fest, und ließ ihn los.

Warum sind die Mansfelder nicht mit den Bitterrödern gezogen? – Wir sind nicht weit in den Berg gelangt, als in die weiche Wirklichkeit, wo kein Widerstand wächst. Wir müssen den Mutterboden, die Lette, den Zechstein durchteufen, und durch die Schichten Salz hinab und Mergelkalk und Fäule bis zum Kupferschiefer. Dort herrschten härtre Gewerke, ein schwererer Abbau, in niedrigen Förderstrecken, womit verglichen Kali & Salz Salonbergbau ist. Das sind zwei (Unter)-welten, und Rivalität ist seit alters im Spiel. Vielmehr wert war ihr rötliches Erz als das lösliche Salz, aber wieviel mehr kostete es, die Adern zu sprengen. Minderlägig, bauunwürdig die Flöze. Hier war nichts mehr zu gewinnen; wie sollten sie darum kämpfen? Wie konnten sie aufbegehren in ihrem verlornen Revier.

Noch steht mir die Wand von Fakten gegenüber, wo kein Durchkommen ist. Man kann die Sache ein wenig beschleunigen und rascher erzählen. Es braucht nicht viel Kunst, die Geschichte zu überreden, einen Zahn zuzulegen. Es genügt ein Gerücht, sie in Wallung zu bringen. Sie stottert zu lange ihre Zahlungen ab, sie soll mit der Summe heraus; und wenn es jetzt harte Währung ist, muß es nicht bare Münze sein. Man kommt zu dem tiefern, ungeheuren Verlauf, wenn man die Menge der Fakten ansieht und die Unzahl addiert. Denn auch die Rohhütte Helbra machte dicht, und das Walzwerk Hettstedt baute die Belegschaft ab, und überall, als wäre der letzte Akt der Welt gekommen, wurden die Seilfahrten niedergerissen, die Mundlöcher zugemauert und der Arsch zugenäht.

Im Mansfeld, hieß es, *werden die Berge verkauft*. Das war wenig übertrieben, unter dem Strich. Ein Hergereister, angeblicher Hersteller von Metall und Eisenwaren, habe den Zuschlag bekommen. Der Treuhandgrande / oder Minister, Schufft jedenfalls sein Name, habe es gedeichselt. Die Schlackehalden und Spitzkegel gingen auf Erdmenger über. Es war der größte Deal und das ganze Mansfeld verladen. Nun lauerte man natürlich, wie Erdmenger seine Haufen beiseiteschafft.

Der Dummkopf hatte nicht bedacht, wie hoch und schwer sie sind. Das Schnäppchen würde ihm im Magen liegen. Er würde es wohl liegenlassen müssen. Aber man hatte dem Kerl das Kombinat dazugegeben, Liegen- und Lassenschaften, und er begann, das Kunstwerk auseinanderzunehmen. Als erstes verschwanden die Ferienheime und Ambulatorien (stattdessen die Barmer *Ersatzkasse*). Und ersatzlos die Bibliotheken und Kinderkrippen. Auch die Werksküchen, der Berufsverkehr und das Zentrum für chronisch Kranke beendeten ihr Dasein. Ihre ganzen Institutionen versanken.

Daß ihnen die Berge genommen würden, ging wie ein Lauffeuer durchs Land. Das hieß ja: es wurde *plattgemacht*. Die Erregung war nicht zu löschen. Bitterrode war überall, aber das Mansfeld verschwand. Wo sollten sie alle hin? – Wer sich das ausdenkt, ich, wird alleine stehn.

So ein Einzelgänger war Finger, unter den Leuten, die er ansprach und agitierte. Er mischte sich in die Menge, die in Hettstedt stand oder lungerte. Die Lackdrahtproduktion war eben geschlossen worden und der Betrieb nach Lügde verlegt. – Der erste Treuhandchef, murmelte Finger, sei entlassen worden. Der zweite, Gohlke, habe das Handtuch geworfen. Der dritte, Rohwetter, der auch die Sache begriff, wurde erschossen. – Welche Sache? – Unsere Sache, sagte Finger kalt. Man lächelte verwirrt. – Die treuhänderische Behörde sollte das Volkseigentum *betreuen*, nämlich dem Zugriff der Raffgier entziehen. Vorgesehn war, fuhr er düster fort, dieses Vermögen zu privatisieren, aber nicht nur durch Verkauf in private Hand, sondern indem jedem Bürger sein Anteil beurkundet wird. Es sollte jedem, Mann, Frau, Kind, an diesem allen gehörenden Gut ein gleichwertiger Anteil gesichert sein. Es sei von *Anteilscheinen* gesprochen worden, die ihnen zustehn: den Eigentümern. – Die Menge murrte und begriff nicht, wovon er redete. Eigentümer, so hatten sie sich nie gesehen. Sie schauten aneinander vorbei. Finger blieb bei der Sache, die er schmackhaft machte. 40 000 Mark Nennwert hätte man aus dem staatlichen Geld- und Sachvermögen errechnet. – Mark oder Euro? – 100 000 Mark oder 20 000, er sage 40 000. So sei es verhandelt und beschlossen gewesen in der letzten Regierung. Nicht in die eigene Tasche (und er griff seinen Hosensack), nicht daß es jeder für sich verwende, vielmehr als Pfandbrief, mit dessen Rendite die Preise ausgeglichen werden, wenn Brot und Bier nicht mehr subventioniert sind. – Ich trinke kein Bier, rief die Töppsch. Ein Lachen antwortete ihr. – Aber Brot ißt du. – Kuchen, mein Junge. – Um diesen Anteil am Kuchen gehts, sagte Finger so leise, daß es stille wurde. Denn wenn die Belegschaften, wenn sie die Summen zusammenlegen, sollten sie in Stand gesetzt werden, ihre Betriebe zu kaufen. – Die Stille dauerte an. – Und, fragte Neuweger, was dann? – Oder wenigstens, rief eine Stimme, die Kindergärten. – Ein Gelächter brach aus. Er überzeugte sie nicht.

Vom Polizeistandpunkt hieß das: Volksaufhetzung.

Zu allem Überfluß stand die Halde direkt hinterm Haus. In *Heringsdorf* nämlich (der Kupferhering lag allenthalben im Schiefer) war der Abraum vom Martinsschacht in die Straßen gelaufen und hatte die Gärten bis an die Hauswand beschickt. Hanna konnte nur vorne hinaus, wenn sie die Wäsche auf die Leine brachte, die über dem Dreckhang hing. Die Wäsche strahlendweiß; es war aber die Schlacke, die strahlte. Als sie und Henning frisch verheiratet waren, hatten sie sich geborgen gefühlt, an den schwarzen Berg gelehnt. Jetzt begann Erdmenger, die Massen abzutragen, kleine Bagger bedienten die Dumper vom Straßendienst, und Hanna, statt sich der Aussicht zu freuen, kam sich wie ausgesetzt vor. Christoph, ein Lehrer, aus Göttingen rübergezogen, sagte: hier würde er nicht acht Stunden die Knochen hinlegen. Radium 226. Der hatte Martin, ihrem Jungen, geholfen, die Lehre zu schaffen. Aber der Lehrherr, Eisenplätter, Besitzer der Reifenwerkstatt, nutzte ein Widerwort am letzten Tag, die Lohnkraft loszuwerden. Er langte ihm eine rein, und Martin ging mit der dicken Backe herum. Die Jungen fuhren nach Bayern und in die Schweiz, da haben sie echte Berge.

Das alles lag Henning auf der Brust.

Er ließ sich holen, zu der Krepelei. Das schaffst du, sagte Hanna hart. Aktivist. Er war nun Erdmengers Mann. Er hatte wieder Arbeit. *Er sieht ihr alle Tage / Mit neuer Liebe zu / Und scheut nicht Fleiß und Plage. / Sie läßt ihm keine Ruh.* Er machte auch das. Sie hatte jetzt Angst um ihn. Ihm war der Stolz genommen. Er trank abends mit den Hilfsarbeitern und kam schwankend heim. Wo willst du wieder hin? bettelte er. – Ich weiß es nicht. – Sie sagte die Wahrheit, denn sie wußte zwar, zu wem sie ging, aber nicht, wohin sie wollte. Er fragte nicht nach. Er schlürfte die Verachtung.

Du schaffst das ohne sie, schoß es ihm in den Kopf. Es war ein scharfer, kantiger Gedanke. Die Arbeit weg, das Werk weg, die Partei, der Staat. Das war alles abhanden gekommen. Es blieb die Ehe als schwaches Band. Das konnte man auch zerschneiden. Eine letzte Behörde, eine letzte Macht, von der man sich scheiden kann. Das wurde nicht verlangt, bei dem Umtausch aller Papiere. Dann hielte ihn nichts mehr, man wäre mit allem fertig. Die Verlockung war plötzlich so stark, als wenn er sich aus einer letzten Halterung risse und ins Freie stürzte. Dann würde es ernst. Es bliebe ihm noch sein Leben.

Der Boden schwankte unter den Füßen, und man lief mit Taumelschritten. Kein Aufruhr weit und breit. Wir müssen Öl ins Feuer gießen. Eine Versammlung wurde in Eisleben einberufen. Drei Landräte erschienen. Die Gaststube im Graf von Mansfeld füllte sich mit den Experten, dem Volk. Auch die Sozialministerin, Hilde Brand, war gekommen. Ein Erdmenger ließ sich nicht blicken. Wenn es Landgrafen gewesen wären, sie hätten sich Recht zu schaffen gewußt. Im Bauernkrieg aber hatten ihre Burgen gebrannt. Wo wohnte Erdmenger? In einer Bank?

Wir kennen ihn nicht, sagte der Landrat von Hettstedt. – Ihr kennt ihn nicht? fragte der ehemalige Schachtmeister Schneider. – Mit uns ist nicht verhandelt worden, erklärte der Sangerhausener. – Wer kennt ihn denn? rief Schuricht, ein ehemaliger Schlosser. – Verhandelt wird in Berlin und Halle. – Mit Schufft? Wer war Schufft. Ein Doktor und Hochstapler, wie der Schlosser in Ammendorf, und Arbeitsdirektor, der, wegen Unfähigkeit, mit 150 000 abgefunden wurde. – Ein *Direktor für Abwicklung.* – Er kennt uns auch nicht. – Sie saßen noch in Cliquen zusammen, ehemals Brigaden, und ließen sich nichts sagen. – Es ist in Unkenntnis gehandelt worden, redete Rische, ein ehemaliger Schweiger. Ein Schuft habe ihn abgewickelt. Und ein Unbekannter, vielleicht selber bankrott, vermenge alles und berappe die Mark, um an die Konten des Mansfelds zu kommen. – Die Mark hätt ich selber gehabt (den Euro). – Du hast sie nicht ausgegeben. – Der

Landrat von Eisleben verstand sein eigenes Wort nicht. Sein Wort war: anpacken. Wir müssen nach vorne sehn. Da vorne war aber nichts. Vatterode kann die Schule nicht mehr bezahlen. Der Wegfall der Schlechtwettergeldregelung. Die Rückübertragungsanträge. Um die Kindergärten, Pflegeheime, die Dispensairbetreuung, sagte Hilde Brand, werde sie mit Zähnen und Klauen kämpfen. – Man sah zu der Frau hin. – Das ist ein Faß ohne Boden, sagte der Landrat. – Das Faß läuft schneller über, als mancher für möglich hält! Im Westen ist das Eigentum heilig. Im Osten war man damit verdammt. Weil es für den, der es besaß, eine Belastung war. Wie sollte er es erhalten? Keiner wollte es haben. Daran hing man nicht, an dem Eigentum. Jetzt wissen wir, was wir hatten. Was muß noch geschehen, rief sie: bis ihr auf die Straße geht?

Eisenplätter, an der Türe lauernd, schnappte das auf und fragte höhnisch, was denn ihr *Eigentum* wert war? Man solle nicht so einen Aufstand machen. Ein Batzen, der beim Abbau zerbricht und zerbröckelt, und wo der Mensch danach greife, im Dunkeln, in der Tiefe unten, wie ein Stück Seife immer weniger werde. Ihr habt euch gewaschen, wie. – Das wußten die Arbeiter lange. Schon die alte Regierung hatte beschlossen, in Sangerhausen Schluß zu machen, wie man vor dreißig Jahren die eisleber Schächte stillgelegt hatte. Jede Tonne Kupfer wurde mit 48 000 Mark Verlust erschmolzen. Sie blickten bitter grinsend auf ihre Fäuste. – Aber von diesem Manko, erwiderte Hilde Brand, die die Hand an die Stirn preßte und über die Brille schaute, hat das ganze Mansfeld gelebt. Der Mangel hat 48 000 Arbeit gegeben! Nicht nur in den Schächten und Hütten, im Walzwerk, Maschinen- und Anlagenbau; es war ein Nest von Gewerken und Geflecht von Tätigkeiten, in Transport- und Baubetrieben, Handelsgesellschaften, Ingenieurfirmen, Zuliefer- und Weiterverarbeitungswerken. Das alles habe sein Fortkommen gehabt, und die unergiebige Förderung habe diese Kinderkrippen und Polikliniken finanziert, Bibliotheken, Theater und Ferienheime. Sie erhob sich, sie rief: Das war die Ausbeute eurer Armutshalden. Fast aus dem Nichts ein Nehmen und Geben, die Normalität. Ein Wohl- oder Übelleben, das ein Wunder war, an das man gern glaubte. – Die Leute nickten. Jetzt wurde das Füllort verriegelt, und alles Schaffen und Weben zerstob. Es würde mitzerrinnen, unbezahlbar, nicht zu erhalten, wenn der Mangel aufhört und Plus gemacht werden muß.

(Das ist das Öl im Feuer. Altöl vermutlich.)

Wenn man es recht besehe, sagte Bänsch, ehemaliger Markscheider, hatte für die gewonnene Tonne jedermann 1 Mark zu zahlen = zu verlieren gehabt, das waren zwei Glas Bier gewesen. Da habe man die ganze Legierung oder: *die Volkswirtschaft.* – Der Landrat gabs auf.

Der, der kämpft, sagte Hilde Brand, kann auch verlieren. Der nicht kämpft, hat schon verloren.

Das Bier, das sie tranken, kostete jetzt 2 Euro.

Hanna war unter den Versammelten gewesen, hatte aber gar nicht zugehört. Sie hatte nur gesehen, wie die Hilde Brand sich an die Stirn schlug. Sie traf es an einem andern Fleck. Sie merkte, wenn sie an Christoph dachte, wie das Herz schlug. Die Zeit der Veränderung erwischte sie grad da. In demselben Jahr / Stürzte der Staat ein, holterdiepolter / Kein Mann blieb auf dem andern: ich empfand nichts. – Was auch sonst geschah, die Liebe war das wichtigere Ereignis. Das war das Manko, von dem man lebt. Sie war der, zweifelhafte, Gewinn, aber der einzige, auf den sie aus war. – Mochten die Berge einstürzen. Was war das gegen den Erdrutsch in ihr. Wenn Christoph kam, jeden frühen Tag, stieg er gleich von der nackten Halde ein. Das war der kürzeste Weg zum Bett. Das weiß Henning nicht, der auf Arbeit war.

Das Gerücht, daß das Mansfeld abgetragen wird, jedenfalls die erhabenen Teile, zog Ministerpräsident Vogt viel Spott zu von den Amtskollegen. Das war *Deutschlands hohle Mitte*, unterwühlt, untergraben, mit unterirdischem Leerstand (Millionen Kubik), sagenhafte Immobilien, die hoch gehandelt werden würden, der letzte Handschlag sollte sein, sie mit Sondermüll zu verfüllen. Latrinenparolen, im Pressespiegel, vor den er morgens das Gesicht hielt. Schwarze Pumpe für 1 Euro verkauft. Auf der Rückseite ganzseitig: Deutschlands billigster Tag / C & A. Er wollte sein Gesicht behalten. Diese schönen spitzen Kegel, weggeschnitten. Es war aber, wußte Vogt, nichts als die Wahrheit, die tiefere, sozusagen poetische Wahrheit. Schufft von der Treuhand: Wir wollen den Laden besenrein haben.
Der *Landvogt* hatte ihn einbestellt.

Schufft: Jetzt können Sie sagen mit Bertolt Brecht: Die Mühen der Gebirge liegen hinter uns / Vor uns liegen die Mühen der Ebenen.

Vogt, eher bibelfest: Und Gott der HERR ließ einen Garten im Osten anlegen.

Schufft: Alles Neue schmeckt besser als alles Alte.

Vogt: Es sind nicht alles Köche, die lange Messer tragen.

Schufft: Jungfernfleisch ist kein Lagerobst.

Sie nahmen sich an Jahren nichts; Schufft groß und hager, Vogt, fett und schwer, war im Ruhestand reaktiviert worden. Er wandte sich weg und wies auf das Vorzimmer: Jetzt kommt die Bürgerbewegung! – Die *ehemalige* Bürgerbewegung. – Richtig.

Sie wichen von der Türe. Die Abordnung trat herein und reihte sich auf. Vogt vernahm sie, d. h. ihre Stimmchen, und als sie ihre Verdienste bescheiden ausgebreitet, gab er Schufft zur Schelte frei. – Beschweren Sie sich, knurrte er präsidial. Hier ist der Schuft selbst. Jetzt können Sie ihn zausen. – Wie sie aber argumentierten, zeigte sich, daß sie in die Richtung nicht drangen, sondern die *Seilschaften* sie sorgten. Sie forderten Einsicht in die Stasiakten, um mit dem Unrecht aufzuräumen. – Vogt atmete durch und fragte, was ihnen sonst auf der Seele brenne? – Daß diese alten Seilschaften, sagten die Bürgerrechtler. Daß das Unrecht. Daß die Akten zugänglich werden. – Vogt hatte Kopien der Erdmenger-Verträge im Tisch, um wahr Zeugnis zu geben. Er hatte das gegenwärtige (Unrecht) vor Augen; das waren wieder Berge. Den Bitterrödern hatte er Hilfe versprochen und sein Wort gebrochen, weil die Politik gesprochen hatte. Die Mansfelder würde er auch breitschlagen. Die Politik setzte Prioritäten. Privatisieren, i. e. das Volkseigentum abschaffen. *Was des Volkes Hände schaffen*, muß in Privathand. Privatisieren geht vor Sanieren; es muß gestorben werden (: Schufft). – Einer sah ihn genau: Schurlamm, der ihm durchs Hemd sah, wie es ihn zerriß. Ihn kannte Vogt, der war kein Mann des späten Muts wie diese 89er, er hat schon 83 ein Schwert zur Pflugschar schmieden lassen. Schurlamm sagte: er, lieber, würde ein Freudenfeuer aus den Akten machen. Vogt wiegte den Kopf. Schufft führte nun das Gespräch, und was immer er redete, die Gruppe äußerte Zustimmung. Er gab jedem freundlich die Hand, und auch Vogt entließ sie, und diese Bedrückten und Beladenen gingen schwanzwedelnd. Er hatte die ganze Zeit die Finger im Tisch gehabt, um die Verträge herauszurücken, und fragte jetzt zerstreut: wovon gesprochen worden? – Irgendwas Rückgewandtes, erwiderte Schufft. Vogt fühlte sich in Dreck geworfen. Er spürte Rachegelüste.

Es muß gestorben werden. Mit diesem Satz, sagte Vogt, haben Sie Rohwetter erschossen.

Pfingstsamstag waren die Birken geschlagen und als Maien ausgetragen worden. Hennings hatten die ihre in die Halde gesteckt, sie würde sich, mit dem Verblühn, zur Wäschestütze qualifizieren. Sonntags waren die Läufer und Burschen durch Heringsdorf gezogen, und abends beim Tanz hatte man Henning und Hanna noch miteinander gesehen. In der Nacht war in den Grunddörfern Randale gewesen. Die Aufgeregtheit hielt sich in der fröstelnden Luft. Am Pfingstmontagmorgen stand Hanna gleich mit den Pfingstläufern auf, die die Kameraden mit Peitschenknall weckten. Das Dreckschweinfest begann. Sie lief aber nicht zur Wildbahn mit, sondern über die nassen Wiesen zum Bahnhof.

Die Alleebäume blühten. Alte, gewissenhafte Ob-

dachlose; die hatte man vor Jahren Familien zuge-
teilt, gleichsam als Deputat, an dem man sich be-
dienen konnte und versorgt war mit Äpfeln und
Kirschen. Nach der Wende ließ man die Bäume
stehen mit ihrem Angebot, weil man lieber die
großen Fleckenlosen aus dem Supermarkt holte,
die nicht schmeckten. Die dürftigen Bäumchen
waren alle Zuneigung los und entlassen aus der
Obhut, wie man selber entlassen war. – Was die
Liebe betraf, das konnte gleichfalls nur die große
fleckenlose Zugereiste sein oder zu der man über
die Grenze ging.

Henning hatte nicht gedacht, daß ihm die Natur
so entgegenkam und Hanna die Taschen packte.
Nicht er war der freie Mensch. Beim Tanzen, als
sie immer um sich sah, begriff er es. Sie hatte die
Kraft dazu. *Wehre dich*, er wußte nun: er sollte sich
gegen diese Liebe wehren. Er schaffte es nicht.

Das Dreckschweinfest war ein alter Brauch. Es
war einige Zeit verboten gewesen, denn im Ar-
beiterstaat sollte man kein Dreckschwein sein.
Darunter hatten die Leute gelitten, denen zum
Feiern zumute war, und die Kreisleitung hatte
es wieder zugelassen. Eine Senke wurde amtlich
ausgewiesen, in die man am Morgen 3000 Liter

Wasser kippte, das sich mit der roten Erde zum Modder mischte. Der Festtag beschäftigte alle in langvererbten Berufen, wonach Martin zu den Dreckschweinen zählte und sich demgemäß in den dunklen Overall kleidete, die kampferprobte (aber gewaschene) Kluft. Um die Hosenenden und Ärmel knotete er Bindfaden. Dunkel war sie, weil man die Mannschaft des Winters darstellte, der dunklen Jahreszeit, die sich am Boden festhält. Der andere Berufszweig hob sich ab durch weiße Hemden und Hosen und blumengeschmückte Hüte. Die bunten Bänder und Scherpen daran: Weiberzutat. Die kurzen Stiele der Ziemer hielt man auf der Schulter. Das waren die Boten des Sommers, der in der Lichtung leuchtete. Es gab natürlich den Amtmann, den Einschänker, Vorstände und Schriftführer, wie in jedem Staat und jeder Gesellschaft. Sie hatten sich auf dem Festplatz eingefunden und die große Menge mitgebracht, von Beruf: Zuschauer. Die kannten entweder die Regeln (die ihnen Abstand geboten) oder hatten sich, wie die neuen Ladenbesitzer am Markt, herangewagt. Eisenplätters Landrover war am Schanktisch parkiert.

Die drei Neuschweine, Martin darunter, wurden

vom Pfarrer in die Suhle gerufen und mußten die Taufe ertragen. Gesenkten Haupts wurden sie mit Schlamm beladen und hinterrücks ins Weihwasser getaucht. Kaum daß sie den Matsch an den Flossen fühlten, *suhlten* sie sich aber. Es blieb ein Heidenspaß. Sie waren alsbald vom Nischel zur Sohle glitschig, urzeitliche Lurche und Lemuren, und war einer der Verwandlung inne und kroch an Land, wurde er wieder in den Morast gestoßen. Es schien nichts andres als das selbstlose Wühlen, das unermüdliche Schuften, das immer das Treiben der Bauern und Arbeiter war, die vorschriftsmäßige Dreckarbeit. Die Menschennatur war am Werk, in ihre Vorstufen rückversetzt. Dann fuhren die Läufer mit ihren Peitschen dazwischen und schlugen in die Luft, daß es knallte. So würde nach gang und gäber Ansicht der Winter vertrieben. Die Schweine wuchteten zur Seite und wurden von den Peitschenstricken erfaßt. Sie wehrten sich mit Stöcken und langen Stangen, und kaum herausgejagt, sprangen sie wieder in die Kuhle und bückten sich auf alle viere, um Bodenhaftung zu halten. Henning, so müde er war, er hatte die Nacht im Freien verbracht, juckte der Rücken. Er hatte diesjahr sein Amt vererbt und auch die Lust verloren. Überhaupt, schien ihm, kam keine große Freude auf. Es wurde erbitterter gekämpft, mit einer neuen, besonderen Wut, und ein anderer Streit ausgetragen, zwischen dem armen, grauen, lausigen Säkel und der neuen hellen geleckten Zeit. Man wollte nicht vom Platz weichen. Als gäbe es da im Drecke was, ein elementares Recht, ein Mutterboden und Lebensgrund, von dem sie nicht lassen konnten.

Eisenplätter stand in einem Konklave von Gutbetuchten und gab Kommentare ab. Auf dem Landrover hatte einer die Schlammpfoten droffgehabt. Martin vielleicht. *Kamerad Martin* (die Bergmannsfigur). Auf den Wiesen packten Leute ihr Frühstück aus, Wurstbemmen, Eier, das Bier war schon angestochen. Eisenplätter: Daß auch das Drecksystem seine Regeln und Gesetze hatte und regiert wurde. – Es hatte, sagte Bänsch, immer Probleme mit den Jahreszeiten. – Eisenplätter: Martin gehöre natürlich zum Dreckschwein. Das sei genetisch, ein geborenes Dreckschwein, was man an der Schweinebacke sehe. Das hörte Henning. Seine Borsten sträubten sich. Er hatte drei Biere intus. Ihn packte der kalte Haß, er trat auf den Mann zu: Das ist für Martin, und schlug ihm den Handballen ins Gesicht. Eisenplätter, kein schwacher Mann, wankte und wischte das Blut von den Lippen. Er lachte: Ihr Hungerleider. Habenichtse. Neuweger kam hinzu, gegen zwei wollte Eisenplätter nichts machen. Henning faßte ihn um die Hüfte, riß ihn aus und warf ihn inn Schlamm.

Es wurde stille. Der Luftkreis stockte, man stand im Auge der konzentrisch ausgerichteten Menge. Eisenplätter erhob sich, zur Sau gemacht, Glatze und Stirne besudelt, der Frack mit Birkenblättern gestäupt. Man glaubte wohl, Erdmenger vor sich zu haben (: den keiner kannte). Erdmenger: ein Ruck ging durch die friedliche Pfingstgemeinde, die eben noch das Vaterunser auf Erbsen kniend aufzusagen bereit war. Henning, stocknüchtern, winkte Martin aus dem Loch und fischte nach einer Astgabel. Knitzschke, Rentzsch, Schuricht und Mirsch standen mit erhobenen Armen, um irgendwo zuzugreifen. Weil es aber Eisenplätter, der Reifenfürst, war, wußte man nicht, wohin die Fäuste setzen. Es war ein Sturm, der noch in der Wurzel steckte und austreiben mußte. Die Tischdecken wurden schon, samt der Fourage, vom Boden geweht, die Säuglinge an den Ärmchen

in die Hitsche gezerrt. Die Neubürger und Gä-
ste fanden den Zaun nicht, um zuzuschauen, und
waren in Feindland versprengt. *Denn der Stein, vom
Berg gerissen, ist groß geworden, die Arbeiter und Bauern
sehen ihn viel schärfer an denn ihr.* Die Heringsdor-
fer und Aalsdorfer und barschen Ziegelröder, das
mansfelder Grundgesinde und -sediment stürzte
ineinander und warf die Tische und Läden um.
Der ganze Platz war in Aufruhr. Plötzlich, das
war nicht mehr feierlich, sah man einige Pfingst-
burschen mit Gummiknüppeln arbeiten, geputz-
te Zivile, die, dümmer als die Polizei erlaubt, die
Falschen trafen. Daß die Staatsmacht, eigentlich
abgemeldet, so fromm und frech präsent war und
sich der magischen Mittel bediente (= zuschlug),
brachte das Fest zum Sieden, und die kochende
Masse ergoß sich durch Wimmelburg durch auf
den eisleber Ofen. Die Geschichte ging einfach los
mit den Füßen einer Rotte, und wer die Gründe
nicht kannte, konnte sich wundern. Die Gründe
waren bergehoch. Die Herren Schuffte kannten
sie. Die Eisleber, Marktschreier gewohnt, erleb-
ten die Dreckschweine im Stadtgebiet. Wo die
Geschichte ins Ruder lief und auf das Rathaus
zusteuerte, vor Luthers massiger Statue anhielt

und sich gegen die Waage wandte, in der einst alles Kupfer verwogen und der Zehnt erlegt wurde. Das waren noch formelle Schritte, mehr der Ordnung halber (gegen die sie sich richteten). Dann stiegen Martin und die Kameraden in die Geschäfte ein, um Proviant zu fassen und sich einmal umzusehn. Da war das Eigentum angerührt, und weil die Inhaber auswärts wohnten, riefen die Kunden die Hilfe herbei. Der Amtmann, der Pfarrer wurden vernommen; der Amtmann war kein richtiger Amtmann, der Pfarrer war der richtige Pfarrer. Und es waren richtige Einsatzkräfte, die vorfuhren, in dunklen Monturen und Helmen wie für eine Schlammschlacht verpackt. Und richtig hieben die Pfingstläufer, um das Geschehn zu verwirrn, mit den Peitschen auf die Kohorten ein. Die Ortsfremden, in die Gassen gesperrt, mochten das für den Höhepunkt halten, worin die ganze Frühlingssehnsucht zum Ausdruck kam. Als ginge der Kampf so durch die Instanzen fort. Das Fest des Volks! ein Pflaumenpfingsten. Am Sanktjederleinstag. Sie spähten zur Andreaskirche, von wo der helle Haufe herunterdrängte oder gedrängt wurde, in irgend Nebel und beißendem Dampf. Als zwei Schüsse fielen, rannte die Masse entsetzt vor den Dreckschweinen her zum Graben und Rammtor; und die Geschichte, in Panik geraten, mit sechzehn Lädierten, endigte für den Tag.

Wenn man nun das Feld der Fakten verläßt, steht der unermeßliche Bereich der Erfindung offen. Orte falsch geschrieben, die Personen aus Rüben geschnitzt, die Handlung aus den Fingern gesogen. Mannsfeld und Weibsleben. Das tut der Sache keinen Abbruch. Man wird nur tiefer in die Geschichte dringen und sie einmal schärfer machen. Beim Hungerstreik war Berndt ums Leben gekommen, und der Zug voll Trauer und Wut war gleich mit hundert Empörten aufgebrochen. Die Öffentlichkeit war alarmiert, und der *Hungermarsch* in Berlin auf Hunderttausend angeschwollen. Und tatsächlich die Bitterröder hatten die Steine geschmissen und Polizisten Schaden genommen. Die Rädelsführer (der brave Rüttemann) wurden verhaftet, die Abfindungen gemindert, die Grube geräumt. Es wurden Tatsachen geschaffen. Zu Pfingsten in Eisleben hatte es *blutige Zusammenstöße* gegeben, zwei Tote (Unbeteiligte), vierzig

Verletzte. Zum erstenmal (seit den Bauernkriegen) strengte hier ein Landgericht einen Zivilprozeß an »auf Wiedergutmachung« der materiellen Verluste der Polizei. In Sachsen-Anhalt, in Thüringen Scharmützel, worauf die Entlassenen wieder *Brigaden* bildeten, die zusammenblieben. Sie lungerten vor ihren alten Werken, hingehalten und aufgereizt von lauthalsen Versprechungen und stillschweigenden Stillegungen & »Verkäufen« ihres Eigentums. Die Geschichte, ginge sie ordentlich fort, erzählte Beschäftigungsmaßnahmen. Fortbildungen; Unnütze, damit ihr / unnütz bleibt, werden wir euch / umschulen.

Zu Kleinpfingsten, die Woche drauf, wird im Mansfeld noch einmal ein Umzug gemacht. Da strömt üblicherweise das ganze Grundvolk zusammen. Nach den Vorkommnissen war es aber viel Volk mehr, und nicht der Pfingsttanz wurde beerdigt, sondern die zwei Umgekommnen. Weil es sich um zwei Bergleute handelte, kam Pfarrer Kirchner nicht umhin, auch die Totenrede auf ihre Schächte zu halten. Das veranlaßte ein Dutzend Teilnehmer, ebenfalls Meldung von ihren Betrieben zu machen, darauf achtend, daß man von Toten nichts Schlechtes sagt. Einer aus Rodleben:

das Hydrierwerk habe nach der Privatisierung (SALM-Gruppe aus Indonesien) die Forschung verloren und 900 von tausend Arbeitsplätzen. Eine aus der Filmfabrik Wolfen: von 1500 in der Forschung blieben 92 (»nicht wettbewerbsfähig«). In Schwedt: werde alles zerschlagen; in Premnitz würden sogar die 700 Werkswohnungen mitverkauft. Ein Ingenieur aus Gröbzig trat vor: die Spinndüsenfabrik wurde nach Stuttgart verkauft an der Belegschaft vorbei, die sie teuer zurückkaufen müsse. Beim Dampfkesselbau in Hohenthurm könne man nur von *gezielter Vernichtung* sprechen (das kannte man von Hettstedt auch), und im Getriebewerk Wernigerode, im Traktorenwerk Schönebeck, im Werkzeugmaschinenbau Aschersleben derselbe Befund. – Somit war das traditionelle *schaurige Ritual* auf andere Weise durchgeführt, und der Pfingsttanz als Totentanz exekutiert. Die Hinterbliebnen wunderbar abgefunden, aber aus dem Eigentum waren Schulden geworden. Ein Gewaltverbrechen. – Aber auch die von Oschersleben hätten reden können, die von Staßfurt, Bernburg und Köthen, Dessau, Bitterfeld und Schkeuditz, Merseburg, Nachterstedt, Ammendorf, Halle, Weißenfels, Apolda, Erfurt und Sömmerda, Sondershausen, Nordhausen und Halberstadt. Und aus entfernteren Landstrichen rief das her, aus Chemnitz und Zwickau, Freiberg, Heidenau und Pirna, aus Schwarze Pumpe, Senftenberg und Lauchhammer natürlich, Cottbus, Guben, Anklam, Rostock und Wismar. Oder sie redeten dort, wie Trauerredner, in ihrer Gewerkschaft; aber kein Ruhe in Frieden. Denn von all den halbierten, gevierteilten Belegschaften fanden sich immer zwanzig, dreißig in den Kantinen zusammen, um zu beratschlagen und sich aufzuregen, und an den *arbeitsfreien Tagen*, derer genug waren, rotteten sich ihrer zweihundert dreihundert vor dem Tor mit Gerassel, um die ihnen gemäße Schlacht zu liefern. Von diesen *Haufen* wollten die wildesten nämlich endlich: arbeiten. Wenn man schon auf der Straße lag, wollte man sich dort zeigen, und in Witzleben legten sie sich Mann an Mann, Stücker fünfzig auf die neue Plaza.

Nun hat sich die Geschichte munitioniert. Das ist genug Material, einen Kampf zu fintieren. Und Reserven liegen in Mitteldeutschland gebunkert seit der *Märzaktion* 1921. Insonders das Mansfeld bewahrte das Andenken, wo Max Hoelz die Arbeiter bewaffnet hatte und die gesamte Region bestreikt worden war; viertausend eingebuchtet, viere zum Tode verurteilt. Und schon vor vierhundertsiebzig Jahren die Bauernhaufen hatten auf die mansfelder Knappen gesetzt. – Mintzer kam oft drauf zu sprechen.

Dabei wurde die wirkliche Schlacht längst geschlagen. Die erwähnten Scharmützel waren in der Regel Übergriffe der Einsatzkräfte; die Arbeitskräfte ihrerseits warteten auf den Arbeitseinsatz. Nur war eben das große Arbeitsgebiet seit längerer oder kürzerer Zeit in Devastation begriffen. Aus diesem Bruchland blühende Landschaften zu machen, oblag der Regierung, wofür sie beträchtliche Summen aus dem Staatshaushalt liquidierte. Die Summen zunächst auf ihre Konten zu leiten, lag den Konzernen ob; siehe die Treuhandmanöver. Das war (sagte Mintzer) eine Kriegserklärung. Sie hatten, mit den Schließungen, den Kampf ja eröffnet und sich auf diese Weise in Stellung gebracht. Wer die Handelsbilanzen prüft, hat die ganze Schlachtordnung vor Augen. Nur manchmal war ihnen was in die Parade gefahren, wie am *17. Juni* in Leipzig, als die Arbeiter die Verlade- und Transport-GmbH besetzten (weil sie sich verladen fühlten), oder im Juli in Suhl, wo erbitterte Sechstausend vor die Treuhandzentrale zogen (: die Jagdwaffenmacher). Im Ganzen aber wartete diese andere Seite ahnungslos (stellungslos) im Gelände. Man war irgendwie hineingezogen, und hatte den Streit nicht angefangen. Das Kämpfen war ihnen von Partei & Regierung abgewöhnt worden.

Mintzer, der sich hier einmischt, war Parteihochschüler gewesen und in die Realität relegiert worden. Dort vegetierten wie je die Wissenschaften und Künste. Ein Abweichler von Graden, der sich daselbst bestätigt gefunden hatte. Seine *Kritischen Papiere* hatten von Ichstedt bis Allstedt kursiert.

Es saßen in diesen Tagen vielerorts die Vordenker zusammen, die nie zum Zuge kamen, weil sie nachdachten, die pluralen Marxisten und Theoretiker der Praxis, die mit Hammer und Sichel philosophierten. In Berlin im Torpedokäfer trafen sich Heise, Geist, Mintzer und Finger. Daß die eine Seite so zielstrebig, stabsmäßig operiere, sagte Mintzer: weil es sich dabei um eine *Eigentumsfrage* handle, die (wie Fontane gesagt habe) den praktischen Leuten immer die Hauptsache war. – Das war Fingers Thema, aber bei den Koryphäen waren die Anteilscheine gegessen. Sie waren von den Utopien geheilt. Ihre Denkgebirge standen zur Disposition. Es war auch ein Erdrutsch der Gedanken. Man versuchte sie aufzusammeln. Man griff nach ein paar Begriffen, und hatte die Konfusion. Wem, zum Teufel, gehört das Staatseigentum? fragte Heise, seine Pfeife stopfend. Was geschah hier mit welchem Recht. Wurde ein Staat enteignet? Wer ist der Staat? – Heise ist hier ins Leben gerufen; in Wahrheit war er vor der Zeit gestorben, weil der Krankenwagen nicht nach Hessenwinkel kam. – Eine Maschine, sagte Geist, oder der Apparat. Der ideelle Gesamtkapitalist / sozialist. (Der Geist bekam Stütze, denn er hatte keine Arbeit. Die Universität Leipzig war *entostet* worden.) – De jure kann nur natürlichen oder juristischen Personen etwas gehören. (Finger war zu stolz, die Alimente zu nehmen, auch ihn hatte schon die vorige Herrschaft evaluiert.) – Der Staat, das sind wir, sagten die Könige. Das Haushaltsrecht wird noch immer als Königsrecht erachtet. Seiner Fiktion, des Staats. – Bei uns, sagte Finger, gab es kein Staatseigentum. Das sah die

Verfassung nicht vor. Es gab kein staatliches Vermögen, das nicht Volkseigentum war. – Da war er wieder bei dem Begriff, den er nicht loswurde bei den Leuten. – Aber sei, murrte Heise, das schöne Wort nicht nur die verbrämte Bezeichnung für Staatseigentum gewesen? – Nein, rief Finger. Denn der Staat durfte entscheidende Dinge nicht. Es war ihm nicht erlaubt, dieses Eigentum zu verkaufen. Er durfte es nicht belasten, verpfänden, veräußern. Es war nicht seins. Es war das Eigentum aller. – Des Volks, lachte Geist. – Wer ist das Volk? fragte Mintzer. Sie sahn sich ratlos an. Dann sahen sie in den Kneipenraum. Sie hatten einen Staat verschwinden gemacht. Das Volk durfte leben. »Alles für das Wohl des Volkes« war auch eine Milchmädchenlosung. – Daß man das Seine nicht hat, sagte Finger, ändert nichts dran, wem es de jure gehört. – Auch das Volk war eine Fiktion, sagte Heise; die Pfeife zog. Die letzte Volkskammer (: Finger) hat aus dem unvollkommenen unverhandelbaren Staatseigentum vollkommnes gemacht. Ihr erster und letzter Akt war die Volksenteignung. – Es in die Hand zu nehmen, sagte Mintzer, wäre die Revolution.

Sie krümmten sich wie im Block. In den Mienen

malte sich hinter dem Tabaksdampf Beschä-
mung. Nicht, daß sie ihn auslachten, diese zum
Denken und zu nichts sonst Entschlossenen; sie
schwiegen ihn an. Daß man nicht *darüber verfügt*
hatte, war all die Jahre sein Refrain gewesen, in
Hinterzimmern und Seminaren, hinter aufgehal-
tener Hand. Volkseigentum plus Demokratie: das
war die verbotene Losung. Sie hing wieder
schief. – Aber womöglich mußte sich die Geschichte entmutigen, ruinieren, damit sie andere
Kräfte sammelt.

Bei der Friedhofs-Kundgebung oder Begräbnis-
Demo war Henning nicht zugegen gewesen. Er
lag mit einem Schädeltrauma zuhause. Martin
kümmerte sich um den Vater, weil die Mutter *ver-
reist* war, und war ohnehin vom Landgericht zur
Bewährung verurteilt. – Vielleicht hatte Hanna in
Göttingen was gefunden. – Martin wäre viel lieber heute als morgen fort, aber wurde nun aufgehalten. Wer weiß, wofür es am Ende schlecht war.
Henning sah auf den Jungen, als wäre er eben erst
sein Vater geworden, und suchte das Ebenbild;
und schickte es an seinerstatt zum Treffen der
Brigadiere.

Das hatten Mintzer und seine Emissäre anberaumt, ohne einen Raum zu wissen. Er sollte groß und verborgen sein, eher ein Versteck, aus dem man *an die Öffentlichkeit treten* wollte. Kestner vom Röhrig-Schacht schlug eine Schlotte vor, die er auf seinen Expeditionen bei Wetterrode entdeckt hatte und aus der er, weil er vor Aufregung den Rückweg zu markieren vergessen gehabt hatte, erst nach Stunden wieder herausgelangt war. Er hatte damals die unbefugte Befahrung geheimgehalten und, wie bei manchen feinen Sachen der Fall ist, warten zu müssen geglaubt, bis die offizielle Entdeckung erfolgt. Nur den Freund Henning hatte er eingeweiht. Das Wissen zurückzuhalten, hatte aufs Herz gedrückt; er hätte sich gerne mitgeteilt, teilte er mit, aber Disziplinarmaßnahmen befürchtet. Reden wäre Silber gewesen. – Zu dem Zwecke kamen nun, an einem bewachsenen Steinkegel, die Wortführer zusammen, an die dreißig Abgesandte vom Sangerhäuser Haufen, vom Leuna-Hallehaufen und vom großen Sächsischen Haufen; und Martin vom Dreckschweinhaufen dazu. Sie wollten gemeinsame Forderungen formulieren. Ohne daß einer Parität geachtet worden wäre, waren fast die

Hälfte Weiber. Textilindustrie, Chemie (»gibt Brot Wohlstand Schönheit«). Kestner führte sie unter die Erde. Im Schachteingang teilte er Helme aus, und die Bergleute machten mit Vorsichtsregeln bekannt. Zwei schwächere, nur tagtaugliche Leute wurden aussortiert, die den Eingang sichern durften. Die Frauen kamen alle mit. Eine fragte Martin nach Henning. Es ging kilometerweit in dunkle Tiefen. Die Füße schurrten, Wetter fauchten durch die Gänge. Ein stetiges Gefälle in versinterten Stollen, und einmal wieder hundert Höhenmeter hinauf. Dann wateten sie eine gute Strecke im Wasser, in ihren unguten Schuhen, und man verfluchte den Einfall, im Underground zu tagen. Endlich lag eine schwere Holzleiter im Weg, über die man klimmen mußte, um in einer niedern Röhre zu verschwinden, aus der man, eben noch ganz den Mut verlierend, in die *Höhle* stieg. Sie war ein ungeheures leuchtendes Gewölbe. Man hob den Kopf auf, kam aus der Hüfte. Bänsch mutmaßte die speläologischen Daten. Da die Lage der Gottes-Segen-Höhle entspräche, befände man sich etwa minus 200 m NN und 140 m unter der Vorflut des Grenzbachs. Die Hauptachse bemesse sich auf achtzig, die Höhe der

Kuppel – er zeigte das herrliche Gemälde – auf zirka zehn Meter. Stratigraphisch ergehe man sich im Basal- und Sangerhäuser Anhydrit, die alten Schicht- und Kluftflächen seien mit Marienglas verheilt. – Dieses wundersame Glas war es, das die Versammlung bestaunte, dieser veräderte und verästelte Glanz, der im Licht der Taschenlampen aufschien. Als sich die Augen an die blau und rötliche Festbeleuchtung gewöhnten, nahmen sie erst den Sitzungssaal wahr, den die Natur in aller Stille vorbereitet hatte. Sie fanden alle Platz in den Klüften und Logen aus Alabasterstein. Der Grund der Zusammenkunft war vergessen. Man war in einer Märchenhöhle und hatte drei Wünsche frei. Früher wären die aus dem Mund geschossen: Reisefreiheit, Meinungsfreiheit, Versammlungsfreiheit. Diese Wünsche hatte eine gute Fee erfüllt. Hingegen das Recht auf Arbeit war fauler Zauber gewesen, der von der Erde ausging, der ewig schaffenden Natur. Man hatte einer *naturwüchsigen* Ordnung angehangen. Hier war ihre Zentrale, wo Subrosion wirkte, der Tropfstein arbeitete und unendliche Kubikfuß Wasser sickerten. Hausmeister Kestner gab dem ungeduldigen Mintzer das Wort, der kein Auge für die mineralische Mitwelt hatte. Mintzer, wie gesagt, hatte sich an den *ver-steinerten Verhältnissen* gestoßen, der Felsenstruktur des Staats. Man hielt sich seiner Meinung nach in derselben Formation auf. Man mußte die Felsen sprengen. Schurlamm war anderer Ansicht. Man müsse Griffe finden, Vorsprünge, um Halterungen zu legen und Tritt zu fassen. Nämlich Wege suchen in dem zugegebnermaßen steilen Hang. Man habe es mit einer sozialen *Verwerfung* zu tun, aber es sei eine arme, harsche Struktur verworfen worden. – Griffe, was denn für Griffe, fragten die lächelnden Sachsen, Begriffe müßten genannt werden. Man muß die Sache auf den Begriff bringen. Punkt für Punkt. – Bänsch, der eine alte Markscheide-Tafel aus dem Schlottenschlamm förderte, bat um Koordinaten, von dem *Zielgebiet*, das man erreichen wolle. Er nahm einen spitzen Stift aus der Jacke.

Die Frau, die Martin nach dem Vater gefragt hatte, sah immer wieder zu ihm her mit einem so klaren Blick, daß er errötete; er hob aber selber den Blick nach ihr hin.

Ja, was war das Ziel? – Sie sahn an der Wand ihre Schatten tölpeln, als wär man von einer Masse umgeben. Schachtmeister Schneider riet: keine

großen Worte zu machen. Es gehe um das Wenig-
ste, Wichtigste: da habe der große Summs keinen
Platz. – Was er damit meine? – Freiheit, Fort-
schritt, Frieden. – Soweit war man einig, aber das
wenige Wichtige machte Schwierigkeiten. Wie
sollte die Erklärung heißen? Bänsch schlug vor,
sie Statut zu nennen; unter dessen Regie werde
auch sonst jede Auffahrung und Durchörterung
von Liegendschichten betrieben. Die aus dem
Leunawerk verstanden den Mann nicht; *Liegendschichten*, waren die Desinteressierten gemeint?
und Erörterung müsse es heißen. Rüttemann, aus
der Haft in Erfurt entlassen, plädierte für Artikel,
die *Mansfelder Artikel.* Das klang einigen wie: Produkte, Waren, und es sollte ja was Greifbares sein,
Hergestelltes, was man in der Hand haben will.
Mintzer hatte natürlich die 12 *Artikel* bei sich, die
die schwäbischen Bauern in Memmingen abge-
faßt hatten. Wo vom Großzehnt, von den Dien-
sten, vom Frevel die Rede sei, lese er mühelos
Profit, Leiharbeit, Steuerhinterziehung. Er nahm
einmal den 1. Artikel vor. »Jede Gemeinde soll
das Recht haben, ihren Pfarrer zu wählen und ihn
zu entsetzen, wenn er sich ungebührlich verhält.«
Übersetze das, sagte er zu Martin, dessen glän-

zende Augen er sah. – Übersetze, Henning, lachte Schneider. – Der Betrieb … soll das Recht haben, seinen … Besitzer zu wählen, fantasierte der Junge. – Den Betreiber! rief Schneider. – Der Besitzer sind wir, sagte Rüttemann noch fantastischer. – Nichts gehört niemand. Allen alles, sagte Inge. – 10., zitierte Mintzer, haben etliche sich Wiesen und Äcker, die einer Gemeinde zugehören, angeeignet unbilligerweise. »Die werden wir wieder zu unsern gemeinen Händen nehmen.« – Martin blickte, hinter seinen Händen, zu der Frau, die keinem gehörte und allen. So einfach war das gesagt, und so einfach mußte es sein. Aber bei der Verhandlung war die alte Bescheidenheit im Weg. Es dachte jeder für sich. Und weil, wie sie aufsprangen und gestikulierten, sich ihre Schatten riesenhaft reckten, duckten sich die Vorlautesten wieder.

Inge und Henning hatten sich einmal und andermal in einem alten Verhau getroffen. Sie hatten hundert Meter tief unter der Erde gelegen. Es konnte keine verborgenere und verbotenere Liebe geben. Das war zehn Jahre her und nicht mehr wahr. Nur Kestner hatte sie bemerkt, und es war ein Geheimnis geblieben. Es war nie an die Oberfläche gekommen, und als es Inge verlangt hatte, war Schluß gewesen.

Die Brigadiere konnten sich, auch nach sechs Stunden, nicht einigen. 1. Erhalt der Arbeitsplätze. Es macht keinen Sinn, sagte Mintzer, für dergleichen *Formeln* zu kämpfen, und Sanieren statt Planieren ist auch ein scheinheiliges Votum. Man müsse, wenn schon alles infrage steht bzw. zusammenfällt, grundsätzlich herangehen und nicht aus dem Hinterwald rufen. Eine solche Gelegenheit, einzuhalten, aufzuhören mit dem Unfug, böte sich sonst nachm Kriege; gehe es ohne Gewalt, dann menschbefohlen. Er wäre bereit, die Artikel zu schreiben und beim nächsten Treffen vorzulegen. Fürs erste mußte eine Losung aushelfen. Schurlamm summierte: *Die Herren machen das selber, daß ihnen der arme Mann feind wird; die Ursache des Aufruhrs wollen sie nicht wegtun.* So ich das sage, sagte Schurlamm, werde ich aufrührisch sein, wohl hin. Rüttemann faßte zusammen: Die Gerechtigkeit ist das Brot des Volkes. Euch soll Gerechtigkeit werden. – Das wurde tags drauf in roter Farbe gedruckt und an den Rathäusern angeplackt. Jenem Rot, *das nun mal die Haupt- und Grundfarbe aller Geschichte ist.* – Als er aus dem Stollensystem

68

herausgetappt war, fühlte Martin, wie ihm jemand übern Kopf strich, er wandte sich nicht um, er lief verwirrt, ein Häufchen Glück, davon.

DIE MANSFELDER ARTIKEL
von den gleichen Rechten aller

1. Die Arbeit ist gerecht zu verteilen, unter allen, die Anspruch haben.
2. Die Belegschaft bestimmt, was und wofür produziert wird, nämlich was sinnvoll ist.
3. Nicht den Gewinn maximieren, sondern den Sinn.
4. Schädliche Arbeit und schädliche Produkte sind untersagt.
5. Die Leiharbeit ist abgeschafft.
6. Realeinkommen, für reale Personen. Gerechtigkeit ist das Brot des Volkes.
7. Herrliche Lehrstellen. Lehrjahre sind Herrenjahre.
8. Grundeigentum bleibt Volkseigentum. Das eigene Leben muß *angeeignet* werden.
9. Arbeitszeitverkürzung statt Kurzarbeit.
10. Verfügungsgewalt über gesellschaftliche Grundentscheidungen.

11. Es bleibt beim Du zwischen Belegschaft
    und Management.
12. Der Tod ist umsonst, d. h. der hinterbliebe-
    ne Staat zahlt.

Mintzer fügte an: *Die Zukunft ist ein unbesetztes Gebiet. Sie ist offenzuhalten für Anmut und Mühe. Falls
eine Forderung dem entgegensteht oder dem Grundgesetz
widerspricht, wird auf [sie] es verzichtet.*

Die »Forderungen des gemeinen Mannes«, wie sie
Mintzer nannte, die Frauen vergessend, brachten
aus mehr Gründen die regierende Klasse in Har-
nisch. Der eigentliche, unter den Abfassern selbst
umstrittene Kern des Pamphlets war das in Artikel Zwei enthaltne Präsumt der Mitbestimmung.
Es roch nach *Produktionsberatung.* Das sei, erklärte
Minister Schufft, ein Anschlag auf die demokra-
tische Ordnung. – Ob man denn, replizierte ein
chemnitzer Parlamentarier: die Leidensfähigkeit
der Menschen *in den neuen Ländern* noch weiter
strapazieren müsse, indem man ihnen einen Wirt-
schaftsminister vorsetze, der vorher bei der Treuhand war? – Schuffts Sprecher, Waschkaue, nannte das eine Denunziation und Ehrabschneidung,

welche eine neue Qualität des Populismus und politischen Kampfs einführe. »Das war nicht der Stil des Bundestags vor 1990.« Treuhand-Oberin Pleuel, unter Druck wegen dieser Ehemaligen, ließ das Parlament wissen: dergl. Äußerungen seien geeignet, ein Klima der Entfremdung zu provozieren, da doch ein Höchstmaß an *Mitarbeitsbereitschaft* und Geduld den neuen Menschen abverlangt werde! – Waschkaue an Chemnitz: Ich erinnere Sie an das Wort Guevaras, daß aus Worten Gewehrläufe werden.

Vogt wollte es mit eigenen Augen sehen. An der Humboldt-Universität waren an vier Galgen Puppen aufgehängt: Forschung, Lehre, Kunst, Kultur. Er haßte die Undankbarkeit und empfahl: diese ganze Bevölkerung in eine Besserungsanstalt einzuweisen. – Wo soll die sein? – Hier. In dieser Gesellschaft. – Das verfängt nicht. – Unter speziellen Bedingungen. Die Dienstjahre aberkennen. Die Zeugnisse. Die Bezüge. (Er wußte gar nicht, daß vorgesorgt war.)

Die großen Blätter druckten die mansfelder Zettel nicht. Untaten größten Stils (: der Althistoriker Meier) müssen solange beschwiegen werden, bis man aus ihrem Schatten heraus ist. Auch Nationen handeln nach Gesetzen der Psychologie, oder werden behandelt. Die in Eile errungene deutsche Einheit ein Ereignis, das man *mit historischen Bordmitteln bewältigen* wolle.

Jene Schatten, die Martin an der Höhlenwand geistern sah, nahmen die *12 Artikel* als gewöhnliche Werbung wie von Aldi oder Edeka. Einer Großbäckerei, DAS BROT DES VOLKES, die den Preis unterbietet und gerechterweise den Schnitt macht. – Der Reifenfürst: Lehrjahre Herrenjahre. Der Hauptartikel ist der Westwagen. – Martin zu sich: Gusche halten. Ich darf nicht auffällig werden. Er lernte aber den Text. Er war hell vor Lust.

Hanna war mit Christoph nach Helbra zu den Eltern gefahren. Sie wollte ihnen Christoph zeigen. Das war ihr schöner Mut. Die Mutter schien nicht erfreut: sie ahnte nichts Gutes. Vater Hentschel, in der Bessemerei entlassen, war Kummer gewöhnt. Er wollte immer *Mädchen mit Köpfen machen*, und vier hatte er gemacht, und vier unter den Hammer gebracht. Keins war krumm geworden, aber alle durch das Brett geschlagen. – Jetzt saß er da wie sitzengelassen, von der alten Zeit. Er war kein Leiter mehr, kein Arsch, auf den man schaut.

Sie hatten hier Humor, keinen schwarzen. Drum konnte ers nicht ertragen. Er litt darunter, daß er nicht mehr das Hören und Sagen hatte. Er sagte: Die Dummheit in dem Schacht. Daß mans mit ihnen machen könne, liege am Vorher. Was haben wir uns gefallen lassen. – Der Westdeutsche, allzu Gerechte entgegnete: Wir haben uns auch manches gefallen lassen. – Widerstand, sagte Hanna, war Mangelware, man mußte sich bücken danach. – Christoph kam auf die Gewaltlosigkeit zu sprechen. Es war ein gezwungenes Gespräch. Sie entfernten sich von allen menschlichen Gehalten. Es sei kein Zufall, daß der Widerstand bei ihnen zuzeiten *bewaffnet* war, terroristisch in einem (ökonomisch, verstehe sich) terroristischen System, und der Widerstand hier *diskutierend* auftrat. Auch das kennzeichne Gesellschaften. Hentschel zuckte die Schultern. Dann könnt ihr vonander lern. – Wir diskutieren nicht, lachte Hanna. Der Vater war gereizt. Er sah das Mädchen fest an. Er hatte ihr nichts zu sagen, aber hörte auch nicht gut zu. Ein Volk geht nicht unter: Tucholsky. Es verlaust oder gruppiert sich um. – Es war in Helbra nicht klar, was der Besuch bezweckte.

In diesen Wochen beschäftigte ein Phänomen die Gemüter: ein dicker dauernder Brodem lag in den Wiesen und Wegen, man sah die Hand nicht vor Augen. War es das Spritzwasser auf den glitschigen Landstraßen, durch die unaufhörlich die Lieferwagen rollten, quoll die Chemie aus den Äckern? Die Mansfelder Mulde, ganz Sachsen-Anhalt schien verfüllt mit dem dunstigen Rückstand, eines geheimen, verzweigten, demontierten Kombinats, dessen bedrückende Produktion zutage trat! Die kraftlose Sonne durchdrang sie nicht; als sollte man für immer im Ungefähren, Unklaren leben. – Es war der warme Regen, der auf das kalte Land fiel und den Bodennebel erzeugte.

Der Sangerhäuser und der Hallehaufen vereinigten sich Mitte Juni am Süßen See in den Plantagen. *Feldmäßig betriebener Obstbau*, man konnte üben, in Reih und Glied zu stehen. Sie waren zusammen mindestens fünfhundert. Die Äpfel waren noch nicht reif. Rüttemann, Schneider und Kestner mimten die Hauptleute, wenn es ums Handeln ging. Es handelte sich ums Zusammenbleiben. Das war so ein magischer Glaube: die Masse machts. Nun war die Frage der Werktätigen immer: was sie ins Werk setzen können. Die Leuna-werker erklärten, daß sie sich gar nicht beklagten und keineswegs zurückwollten in die frühere Zeit, aber notwendige Beschwerde vorzubringen hätten, auf die einst sofort scharf hingehört worden wäre, für die aber die Demokratie gar keine Ohren habe. Einer bloßen Nachfrage wegen kämen sie, und zwar mit Vorschlägen, nur nach wie vor gehe man über die Masse weg. Die Masse sei nämlich arbeitslos, was einen Unterschied mache, weil man wehrlos sei. – Warum sie dann Waffen trügen? – Die Kohorte lachte unfreiwillig und gab an, das sei nur die Ausrüstung, sie habe nicht Gewalt und Kampf im Sinn und müsse deshalb gegen die Polizei gewappnet sein.

In Aufruhr war aber die *Landvogtei* versetzt und schickte Beamte, die in die Menge hineinhören sollten; und drei Tage später kam Vogt selber mit einigen Ministern, die die Anführer herauszogen und in Seeburg, vorm abgeschlossenen Schloß, anrieten, die Sachen einem Gericht vorzulegen und den Streit auf dem *Rechtsweg* auszutragen. Das lehnten Rüttemann und Schurlamm ab, dafür hätten sie weder Geld noch Geduld. Die Bitterröder hätten sich einmal viel Zeit genommen und einen wahren Rechtsweg bis nach Berlin beschritten, wo sie im Bundestag nicht angehört und von der Treppe gekehrt worden wären. Man habe einen Rechtsstaat, aber kein Rechtsvolk, woraus folge, daß es notfalls ungesetzliche Wege gehe. – Wohin das führen solle? fragte Vogt. – Das liege nicht bei ihnen. Und Schurlamm sah den Christenmensch herzlich an und dachte: Ich will euch erlösen von denen, die über euch herrschen. Ich will die Heuschrecken aus dem Land vertreiben, Hesekiel 34. Und Kestner: Wir wollen verhandeln von Angesicht zu Angesicht jeder Betrieb mit seinem Enteigner. – Angesichts der fünfhundert Enteigneten räumte Vogt ein, sich mit dem Landtag beraten zu wollen, und nach dem Versprechen, in einer Woche wieder vor Ort zu sein, gaben die Beamten die Anführer frei resp. die Anführer ließen die Regierung laufen. Die Halleschen blieben, um, im *Naherholungsgebiet*, den Süßen See auszusaufen, die Sangerhäuser gingen fürs erste nachhause.

Die Woche drauf waren aber nicht fünfhundert, sondern dreitausend zusammengelaufen, und die Regierung hatte den Termin versäumt. Die Äpfel waren noch immer nicht reif, hingen nur schon zum Greifen an den Ästen. In die ganze Niederung vom (leergetrunkenen) Salzigen See bis Wansleben trabten die Meuten. Sie war seit der Wende von der Kreidezeit zum Tertiär Bodenbewegungen gewohnt, Erdfälle, Erdkrustenbrüche. Schollen, durch sich kreuzende, erzgebirgisch streichende Störungen verkippt und versetzt. Diese Störungen konnten sich nicht an die Oberfläche durchsetzen, da die salinaren Schichten des Zechsteins ausgleichend plastisch auf die Tektonik reagierten und das Salz aus Gebieten höheren Drucks in Einmuldungszonen mit niederem Druck abwanderte (: Bänsch). Bis Teutschenthal hätten Hunderttausende mehr die Erde treten können. Schneider unterrichtete Martin (Herrenjahre) von den nivellistischen Vermessungen. In einzelnen Kesseln betrage die Jahresabsenkung 2 - 3 Zentimeter, während sie in andern Gebieten nur Millimeter ausmache oder völlige Bodenruhe herrsche. Auch wechselten Jahre relativer Ruhe mit Jahren starker Bewegung. Das Manfeld beanspruche eine *Sonderstellung*.

Als die Herren sich nicht blicken ließen, wurde die Frage der Gewalt aufgeworfen. Man war nun eben in Unruhe geraten, und ausgerechnet der ruhige Rische war es, der das gefährliche Wort ausgab. Einige bedauerten neuerdings, daß 1989 kein Blut geflossen sei. Man hätte wenigstens ein paar aufhängen dürfen, an den Stricken, die jetzt die Seilschaften bilden. – Gewalt schloß sich aus. Sie hatten den friedlichen *Umbruch* (wie Schneider die Unruhen nannte) ohne einen Schuß vollbracht. Ihre einzige Losung war KEINE GEWALT gewesen, und hatte sie unangreifbar gemacht. Wenn man sich unter einer Fahne sammle, rief Schurlamm: so unter der weißen.

Sie marschierten ab. Der Nordwind hob die weißen Fahnen vom Boden. Kestner führte sie nach Beesenstedt. Der Ort war Schulstoff gewesen, da haben sie früher, sagte Schuricht, die Kinder hingeschickt. Sie zogen beklommen durch. In diesem Beesenstedt hatte sich die letzte Abteilung von Hoelz gehalten, bis sie am 1. April 21 nach Artilleriebeschuß von fünfeinhalb Hundertschaften zersprengt worden war. Achtzehn Arbeiter fielen. Ein wenig vorher, 1263, war hier auf der *Walstatt* der Besitz Thüringens entschieden worden. In der mittleren Bronzezeit Steinpackungsgräber (Lanzenspitze, Lappenbeil). Aus dem Neolithikum nichts Genaues. Das war die

Landschaft. – Und wenn sie uns angreifen? fragte
Rische. – Warum? – Wenn sie auf uns schießen? –
Das werden sie nicht wagen. – Dann ist es Wider-
stand, sagte Rütte.

Sie streunten auf die Hänge von Hettstedt, um
sich dann ins Welfesholz zu legen. In dem ver-
buschten Gelände überall die kleinen schwarzen
Grinde, Narben, wo man in der Erde gekratzt
hatte. Schieferschutt, mit Gestrüpp überwachsen,
wie struppige Warzen. Eingesunkene Flachhal-
den, geringe Maulwurfshügel ihrer frühern Exi-
stenz. Daß es sie zu den alten Stätten der Arbeit
zog und sie an den Steinen hafteten, war wohl so,
weil sie nicht ans blutige Kämpfen sondern an
die Arbeit dachten. Hier hatte aber im nebligen
Februar 1115 die Schlacht zwischen den sächsischen Fürsten und dem Heer Heinrichs V. stattgefunden. Sein Feldherr Hoyer I. von Mansfeld
fiel im Zweikampf mit Wiprecht dem Jüngeren
von Groitzsch. Schurlamm zeigte Henning d. J.
das bunte Denkmal, Reiter und Pferde aus Papp-
maché, damit er später den Kampf kaschieren
könne. Kestner war auf der andern Spur. Er fand
ein Stück Bronze, das ihm älter schien, als was
Nappian und Neuke vor 800 Jahren erschmol-

zen hatten. Er hätte gerne nachgewiesen, daß hier wunderbarerweise seit *8000* Jahren gearbeitet wurde. Es komme immer wieder was in einer Wüstung zutage. Zum *Vorschein*, sagte er, aus der Vorzeit. – In der Gegenwart war man auf Nahrungssuche. Den grauen Brodem konnte man nicht kochen. Sie wurden von Hettstedt, von Gerbstedt, von Eisleben versorgt. Es war an sich ein schlechter Futterplatz. Das Wasser vermutlich noch verseucht (die Emissionen der Bleihütte des ehem. Mansfeld Kombinats), Güllegeruch (die Schweinehaltung der weiland LPG Rosa Luxemburg). Die bloße Erinnerung ging an die Nerven. Einige sehr Hungrige brachen in Gehöfte und Schänken ein, in Klostermansfeld Plünderungen. Die *Westwaren* wurden nicht angerührt. – Dann kam es zu der Untat von Hohenthurm. Die Hallenser hatten nämlich den »Investor« Greiner nicht vergessen, einen Patrioten, der mehr als zwanzig Käufe bei der Treuhand getätigt hatte. Man hatte ihm auch, ohne Bieterverfahren, den Dampfkesselbau Halle-Hohenthurm zugeschanzt. Der Kaufpreis war nicht abgesichert, aber vom Bundesfinanzminister abgesegnet worden, so daß Greiner Anleihen (unter anderm auf das Arbeiterwohnheim) aufnehmen und seine Privatkonten füllen konnte. Als der Betriebsrat Anzeige erstattete, machte Greiner die Mücke. So wollte man ihn mit 4 Millionen nicht davonkommen lassen, und vor der Treuhandniederlassung, wo er eben die Stamag erbeutet hatte, lauerten ihm etliche auf, um ihm *den Prozeß zu machen*. Sie mißhandelten ihn mit Fragen, ein der Sache wegen peinliches Verhör, in dem er sich unrechnungsfähig zeigte. Er wurde auf offener Straße gelyncht und der Leichnam liegengelassen.

Ein anderer kam besser weg. Der Bevollmächtigte Kuppelwieser von der Schweizer Holding GTC hatte die Welzower Baumaschinen ausgesaugt. Noch zu Ostern war in Sonderschichten eine Vorführmaschine für China fertiggestellt worden, »doch die Monteure konnten nicht mehr abreisen, weil die Gelder für Flugtickets fehlten«. Da wurden sie stutzig. Kuppelwieser versprach oder sprach von kaukasischem Gestein, aus dem sie Gold waschen werden. Er wurde als Geisel genommen und im Taxi mitgeführt.

Der Mord in Hohenthurm erschreckte den mutigen Schurlamm, und er erklärte sich »wider die räuberischen und mörderischen Rotten« der Arbeiter usw. So kennerisch wußte er zu reden und vom Platz zu gehen. Es war sehr frühe Einsicht, denn sonst war noch weiter nichts geschehen, als daß Polizeiposten auf allen Straßen Schikanen einrichteten. Henning hielt es für ratsam, Martin aus der Schußlinie zu nehmen. Er hieß ihn zuhausebleiben, gesellte sich aber selber zu den Kollegen. Man schaute (von beiden Lagern) nach dem großen Sächsischen Haufen aus. Er rückte in Gewaltmärschen auf der halbfertigen Autobahn an. Von Sechstausend war die Rede, und *Schrottautos*. Der Hallehaufen marschierte ihm entgegen.

Am 2. Juli stand das vereinigte Heer vor Sangerhausen. Die Tore sperrangelweit auf. Es war ein festlicher, klingender Zug, die Bergparade parodierend. Sie kamen in breiten Reihen die Kylische Straße herauf auf den steilansteigenden Markt und füllten ihn bis zum Rathaus und Amtsgericht. Die Häuser bunt gestrichen, das städtische Leben erblüht, es sah nun anders aus. – Das Wirkliche beschreibend, kann man kurz und ungerecht sein, jeder weiß sein Wissen hinzuzusetzen. Das Nichtgeschehene auszumalen, braucht es Geduld und Genauigkeit. Die große weiche

Dankbarkeit, die sich in den Gebärden der Menge abbildet, daß es neu und anders war: wie in der Welt, wurde noch wie ein gutes Kleid getragen; obwohl es zu weit und durchsichtig war. Sie füllte es nicht mehr aus. Die ungeheure Neugier auf das Andere, Neue war gestillt und der Sorge ums eigene Fortkommen gewichen. Das Alte zurückhaben? *Nein!* Schon indem sie *kämpften*, sagten sie sich davon los. Indem sie furchtlos, zügellos waren und alles auf eine Kappe setzten, nicht die rote, die bunte. – Man redete nicht mehr ruhig, aber fast heiter: mit Nachdruck. Auch der Bürgermeister begrüßte sie, trotz ihrer bedrohlichen Zahl. Sie waren ja Fleisch von ihrem Fleisch, nur eben abgehangen.

Es wurde der Ruf laut: Erfurt zu belagern. Doch spürten die meisten keinen Trieb, dem machtlosen Landvogt aufzuwarten. Und die hergerichtete Stadt, mit der Krämerbrücke, war in den Herzen kein Angriffsziel; wo man kaufen ging, wollte man nicht kämpfen. Einige Geschichtsbewußte schlugen vor, nach Frankenhausen zu ziehen, auf den Schlachtberg, aber andere, denen die Geschichte noch bewußter war, warnten vor dem entsetzlichen Ort. Zumal (meinte Mintzer) die mansfelder Knappen 1525 *ausgeblieben* waren. Das thüringer Bauernheer, 5000 Mann, war geschlachtet worden. Die Volksarmee, sagte Rische, hätte dort nicht auf uns eingeschlagen. Frankenhausen, *Blut*bad der Werktätigen. Freilich der riesige Rundbau mit Tübkes Panoramagemälde wäre ein Aufenthaltsraum gewesen. Er war erst 1989 eröffnet worden.

Die historische Rückerinnerung zeitigte dumpfe Wut; als hätten sie einem jahrhundertealten Raubzug ein Ende zu setzen. So kam es, daß, als sich die Kundgebung aufgelöst und auf der B 80 fortbewegt hatte, in Wimmelburg Halt gemacht wurde, wohin der Aktionsausschuß März 21 verlegt worden war. Auch das Kloster wurde visitiert, im Bauernkrieg *in Mitleidenschaft gezogen*. Die Mönche hatten also mitleiden müssen, und man suchte eine Bank oder Sparkasse, um sie gleichfalls leiden zu lassen. Das wurde einigen Banditen zur Gewohnheit, dergestalt, daß in Eisleben, Querfurt und Merseburg, wie einst die Fronburgen, die Arbeitsämter brannten.

Martin, in Heringsdorf allein, sah seine Mutter mit Christoph nachhause kommen. Sie traten aneinandergelehnt herein. Er war nicht gewillt, mit ihnen zu sprechen. Aber unheimlich, er empfand nicht Scham oder Zorn, mit beiden unter einem Dach zu sein. Am nächsten Tag war er bei den Haufen.

Sie hatten sich in einem Tälchen gesammelt. Hier war der Nebel besonders dick. Da war viel Volk in *Volkstedt.* Die vielen Hauptleute (= Brigadiere) hielten jetzt auf militärische Ordnung, um nichts mehr anbrennen zu lassen. Es erschien eine Delegation aus Halle, die sich nicht ausweisen konnte; sie wurde in Haft genommen. Zwei undurchsichtige Beamte, die auch nichts zu melden hatten; sie wurden auch festgesetzt. Drei eigene Boten wurden in Gera in eine Falle gelockt. Sie hatten Fühlung aufnehmen wollen und kamen mit Handschellen in Kontakt. Ein Teil des Hallehaufens, der in der Saale baden zu müssen glaubte, wurde von einem Rollkommando aufgegriffen, entwaffnet und zu der Unterschrift gezwungen: *sich aufzulösen.* Nackt und mit nassen Händen waren es lauter ausgelaufene Namen, und das Dokument nicht wasserfest.

Martin hatte kaum den Vater gefunden, der ihn in die Arme schloß, als auch der Großvater

Hentschel herbeilief und Hanna und Christoph folgten. Er sah den Vater die Fäuste ballen; sie liefen gradewegs in den Krieg! Sie würden, wie die Ritter im Welfesholz, aufeinanderschlagen. Martin *kaschierte* das Treffen, mit untergeschobenen Pferden, Henning die Lanze eingelegt, Christoph schwang das Schwert. Wessen Knappe war er (und Pappkamerad)? Und zu wem hielt Hanna, die nicht mit aufgestellt war: doch blaß und wirklich anwesend war. Sie hatte die Stirn. Es wurde ihr Besitz entschieden. Einer mußte tot zu Boden sinken. – Die Sache wurde nicht leichter, und der Ausgang nicht gewiß, als Hentschel Christoph wegschickte, um »mit den Kindern« zu reden. Christoph aber, als hätte er recht damit, zog Martin beiseite, der verwundert willig mitging. In die Botanik.

Er zeigte ihm, wohin er trat. Pfriemgras, Schwingel, Gänsesterbe. *Hungerblumen* am Wege. (Überall Gulaschkanonen.) Der Schwermetallrasen. Metallpflanzen sind konkurrenzschwache Pflanzen, sie vertragen die schädlichen Schwermetallsalze von Kupfer Blei Zink. Pioniergehölz: wächst auf dem Abraum, Hängebirken. Am Haldenrand Feldulmen, Espen, Eschen, auch Pflaumenbäume. Weißdorn, Brombeeren, eh Schlehen und Hartriegel dichte Gebüsche bilden. In den Dikkichten Nachtigallen. Die Natur hilft sich, sagte er. Aber sie kann verzweifeln. Martin spähte nur in das Nest des Nebels hinüber.

Weil alle immer vom Eigentum sprechen: sagte Christoph und überlegte; er habe einen andern Begriff davon. – Er mußte die Stunde schließen. Und da es der schlimmste oder günstigste Augenblick war, fing er an: *Ich weiß, daß mir nichts angehört / Als der Gedanke, der ungestört / Aus meiner Seele will fließen, / Und jeder günstige Augenblick, / Den mich ein liebendes Geschick / Von Grund aus läßt genießen.* – Sie schwiegen, und Martin glaubte zu wissen, wovon oder von wem er geredet hatte, denn Tränen flossen Christoph über die Wangen. Sie waren auf die Landstraße geraten, und Christoph schritt aus, wie um sich weiter zu entfernen. Wollte er nicht sehen, wie es ausging? Ob er gewonnen hatte? Wollte er nicht kämpfen. Er griff nach seiner Hand. – Geh zurück, hörte er ihn sagen. – Was soll ich dort? – Es erleben.

Als Martin wieder eintraf, wälzte sich der Heerhaufen auf die große volkstedter Halde. Das war wohl der Kampfplatz, der für angemessen befunden wurde. Ein halbhohes flaches Plateau (Sarg-deckelhalde), über dem sich der weithin sichtbare Kegel erhebt, und ein Vorberg wie eine Vorburg im Acker. Das sind die riesigen Massen tauben Gesteins aus dem Wolfschacht, später Fort-schrittschacht, der vor hundert Jahren angehauen und vor dreißig stillgelegt wurde. Es war aber der Fuhrunternehmer Peine, der den Stellplatz aus-gesucht hatte. Er war mit zwanzig Lastzügen aus Westfalen gekommen, und ungeachtet des Drecks schickte er sie hinauf, um eine Wagenburg zu bil-den. So könne man bequemer biwakieren und sich verschanzen. Peine also war bei seinen Leuten. Martin schaute gebannt, wie unter dem Abend-himmel die Tausenden in dem dunklen Geröll die Hänge erklommen, in die Staubwolke der Wagen gehüllt. Er hatte die Eltern vergessen.

Auf dem Sargdeckel wurde das Lager aufgeschla-gen. *Haldensleben.* Hinter Eisenach, sagte Peine, habe er Panzerkolonnen überholt. Man mußte die Bewegungen des Gegners abwarten. – Die Fah-nen noch in der Dämmerung: weiß. KEINE GE-WALT. Würde das Zauberwort ein zweitesmal wirken oder wie ein Witz, den man kennt, seine Kraft verlieren?

Wie sie nun auf dem Abraum saßen, war er das Eigenste, Mächtigste, mit dem sie in Zusammenhang waren. Mirsch saß neben Rentzsch, Jendreck neben Goethe, Henning neben Bänsch. Bänsch rechnete: 149 Meter hoch, achteinhalb Millionen Kubik, wovon auf den Kegel sechs Komma sechs entfallen. Dunkelgrau entsprechend der Tönung des Unteren Zechsteins. Es war der *Rückstand*, den sie hinterlassen hatten. Der Beleg, den sie vorweisen konnten, ein Monument ihrer Mühe und Maloche, der Verbohrtheit in den Berg und die Beute. Bis 572 Meter Tiefe war der Abbau vorgedrungen am Füllort der 7. Sohle. Der Arsch über dem Pumpensumpf. Schälschrapperstrebabbau. Sie hockten auf dem finsteren Exkrement, dem giftigen Schutt, dem Rest ihres Daseins, das nicht zu verteidigen war. Einem Besitz, den sie nicht besessen hatten; einem Leben, für das man das eigene nicht in die Schanze schlägt. Sie selber der Abraum, ausgeworfen, abgetan, ein Menschenmüll, schieferfarben, indem sie nun selbst auf der Halde lagen. – Henning lag in der Nacht allein.

Auf den Landstraßen und Wegen waren am Morgen Mannschaftswagen aufgefahren und auffällig viele Ambulanzen. Das ist das Recht des Schwächeren, der Polizei, sagte Peine. Er stand mit Rütte, Mintzer und Finger an der Kante des Sargs und sah zu, was sich zusammenbraute. Das Wetter pfiff und trommelte um den Berg und warf sie hier oben fast um. Sie standen, wußte Mintzer, nicht einer Macht gegenüber, wie 89, es waren Mächte. Sie würden hingehalten werden. Sie würden demokratisch ausgehungert werden. – Daß die Arbeiterschaft, sinnierte Finger, die besitzende Klasse, keine Wehrbauten errichtet und die Kombinate nicht mit Mauern und Türmen umgeben hatte, sei wieder bezeichnend; zu selbstsicher, siegesgewiß hatten sie *geherrscht*. – Mauern. Rüttemann wurde ganz dunkel vor Grimm. Öffnungen hätten sie bauen müssen. Öffnungen überall. – Und triumphierend sagte er: Wenn hier eine Mauer stünde, weißt du, was wir als erstes täten? Die Mauer einreißen. – Finger lachte kalt. Sie warteten untätig, während der Sturm aufzog. Sie warteten auf die Waffen aus Suhl.

Nun ist die Sache in Gang und nimmt nicht mehr Rücksicht auf die ewige Wahrheit dieser Zeit. Die Zeit vergeht. Es war ein rätselhaftes, unklares Geschehen. Ich kann ihm nur folgen; ich kann es nicht gutheißen. Ich sollte handeln nach dem Motto: ich verstehe es, ich beschreibe es nicht. Aber etwas Notwendiges, Unausweichliches spielt mit, und treibt ein Spiel mit der Wirklichkeit, das sie nicht wagt.

Unten Bewegung, schwarze Limousinen fuhren mit Blaulicht vor. Ein Polizeimeister, mit einer *weißen Fahne*, führte einen Staatssekretär auf den Vorberg. Er brachte einen Brief des Innenministers und verlangte seine Verlesung. Die Hauptleute überlegten nicht lange. Es fehlte an Unterhaltung. Sie trugen den Mann aufs Plateau. Aber keiner mochte dem Minister das Maul leihen. Der Staatssekretär selber, auf ein *Pulverfaß* gestellt, sollte es übernehmen. Die Stimme versagte, das Blatt, weil ihm die Hände zitterten, mußte gehalten werden. Er las, und Schneider, Mintzer usw. vernahmen es, jedoch nicht die große Menge, weshalb Jendreck sein Megaphon hergab und Mintzer, ohne auf das Papier zu schaun, wie auswendig wiederholte: *Die Herren begehrten, sie sollten nur die Hauptführer des Lärms, die Linken herausgeben und die Waffen ablegen, so wollte man sie frei und sicher wieder heimziehen lassen und ihnen verzeihen.* Und er trat aus dem Ring, der sich gebildet hatte, und sagte seinerseits: Habt keine Furcht vor dem Geschütz, ich will alle Kugeln mit meinen Ärmeln auffangen.

Diese Historiker alle wußten, warum sie lachten, und Mintzer lachte und ging unbefangen, beinahe angstlos durch die Reihen. Das war der Vorteil der nicht Hochgestellten, daß sie kein Pulver fürchten. Die Herren unterschätzen die Rolle der Persönlichkeit, die sich kleinmacht.

Als in Salza ein Auflauf gewesen und Pfeiffer aus Mühlhausen ihnen *mit 400 Mann allerlei Volk* zu Hilfe eilte, dankten die von Salza ihnen und *verehreten sie mit zwei Faß Bier.* – Der Polizeier wurde zurückgeschickt, um vier Fässer Bier zu ordern, der Staatsmann aber aufgehalten, aus irgendwelchen Gründen entkleidet und in das (leere) Ölfaß gesteckt, um gefedert und geteert zu werden.

Immerhin war die Laune gebessert, und plötzlich brach die Sonne durch. Ohne Kommando, ganz erschöpft setzten sich alle auf den Boden. Sie blickten auf ihr warmes Land, und sahen die Goldene Aue. Die Wiesen und Felder glänzten, und die Wolken zeichneten klare Schatten, die gerechterweise wanderten. Auch der Regen ist großzügig, generös. Wie labt sich die Erde an dem Sinn. Peine fragte: wie sie nun ihre Zukunft dächten? – Es war ins Allgemeine gezielt, aber irgendwer mußte antworten, und die Berndt sagte: Mit Notwendigkeit. Ohne Zwang. – Das war wie ein Programm, radikaler als alle Artikel, und klang Martin so bitter und süß, daß er lächeln mußte. Seltsamerweise sah ihn jemand an, aber er lugte nicht hin. Er besaß etwas, das ihm gehört.

Die Arbeiter in Volkstedt an die Regierung:
Wir sind für das Grundgesetz.
Wir sind nicht hier, jemand was zu tun, sondern von wegen Gerechtigkeit zu erhalten. Wir sind auch nicht hier von wegen Blutvergießen. Wollt ihr euch daran halten, wollen wir uns auch dran halten. Danach soll sich jeder richten.
Die Landesregierung forderte Bundeswehr an.
Nachts um zwei agitierte Finger Mintzer. Er hing sich an ihn, er mußte reden um sein Leben. Wie wäre es mit dem Ewigen Rat? Wir müssen einen Ewigen Rat konstituieren. – Leck mich am Arsch, sagte Mintzer. Mit eurer Ewigkeit. Es gibt nichts Bleibendes, Festes. – Ihre Nerven lagen blank. – Eine feste Burg. Unser Gott. Staat und Partei. Es gibt nichts, was Bestand hat. Eine bessere Welt!

Die gute Ordnung! Sie wird nicht aus Zement gemacht. – Und was rettet uns dann? – Der Tod. Die Geburt.

Die Typhons der Lastzüge meldeten das Militär. Es kam in schwarzen Haufen die Felder herüber. An der Landstraße hielten Feldhaubitzen. – Wir müssen damit leben, daß Berndt tot ist, aber Bärbel, seine Frau, die nicht für richtig gehalten hatte, was er leichtsinnigerweise tat, war auf dem Abraumberg. Sie schleppte eine rote Fahne mit. Dieser Leichtsinn zog ihr Kritik einiger Furchtsamer zu, um so mehr, da ein Kampfhubschrauber die Halde anflog. Barbara war nicht bereit, die Fahne einzurollen, und als nun zwei Hubschrauber an den Nerven zerrten, hielt man für gut, sie trotzig emporzuhalten. Einige, Henning, Rische, Goethe, stiegen wagemutig an dem Steilhang hoch. Du schaffst das: dachte Henning. Du wirst es schaffen. Zwei Schritte vorwärts, rutschten sie einen zurück. Einer war am weitesten hinaufgelangt und grub sich ein und nahm das Gewehr vom Rücken. Sobald die Hubschrauber wieder im Tiefflug kamen, schoß er, verlor den Halt und glitt Kopf voran herunter. Als man den Mann aus dem Schotter barg, merkte man, daß man einen

Toten rettete. Es war Henning, ein Projektil in der Brust. Jetzt war er auch das Leben los.

Drei vier Stunden kreisten die schweren Helikopter über ihnen, um sie einzuschüchtern und in Schrecken zu versetzen. Auch mit Tränengas und Gummigeschossen wurden sie überzogen. Wer waren die *Linken*, die sie ausliefern sollten? Nicht die Bonzen und Gradlinier, sondern die Abweichler. – Schneider ordnete an, den Staatssekretär vom Berg zu lassen, und wie ein Vogel ging der, in seinem Federkleid, am Südhang nieder. – Der Armeegeneral hatte nur die Rückkunft abgewartet, und sich auch der Geiseln versichert, als der Angriff begann.

Die Haubitzengranaten schlugen in Peines Wagen ein. Von dem Krachen der Detonationen angewurzelt standen die Tausenden ungläubig, um dann gegen den Rand des Plateaus zu drängen und blind hinunterzugleiten. Als die Schützenpanzer, in der von Peine gemachten Spur, die Halde erkletterten, verharrten andere Haufen staunend und hielten die weißen Fetzen hoch, bis sie natürlich begriffen, daß ihnen *Gewalt geschah*; aber das war ihr herrlicher begreiflicher Befehl: nicht zu kämpfen und, bis aufs Blut gereizt, bei der irren Parole zu bleiben, keine Gewalt. Sie wurden von den dröhnenden Panzern gegen den Kegel gepreßt, und etliche Desperados wählten wieder die Flucht hinauf, und abstürzend fielen sie auf die Untenstehenden, Zusammengepferchten, die die Verletzten zertretend aus dem Gewühle strebten. So wogte die Menge hin und her wie ein kochender Teig auf der Herdplatte, und wurde von den Rotoren weggeschabt. Es gaben einige Kaltblütige aus Leuna Schüsse ab und verwundeten drei Rekruten, dann war in konzentrischem Anlauf das Schlachtfeld abgeräumt. *Sie mögen sich erwürgen / Am Fuß um Gut und Geld; / Er bleibt auf den Gebirgen / Der frohe Herr der Welt.* Am Fuß der Halde wurden Verletzte und Unverletzte in Kranken- und Kastenwagen gefangengesetzt. Es war eine *Belegschaft* für dutzende Strafanstalten. Das waren zu wenige, um frei zu sein. Die Berndt war, man wußte nicht wann, zusammengebrochen, und Klagroth, Brothuhn und Schneider brachten sie auf dem roten Lappen. Finger war unter den Toten. Einer aus dem Vogtland, Braun, rief im Jähzorn GEWALT, GEWALT, und es war nicht klar, wollte er sie konstatieren oder ausrufen.

Dann war diese Arbeit getan. – Die Natur arbeitete fort, sie zog ihr Gewölk zusammen und bog die Birken und Erlen unter der volkstedter Halde mit ungeheuren Stößen. Und entrollte graue Dreckfahnen ins Land, und Regenpaniere wehten im Reich und zeugten von ihrer Herrschaft. Sie verfügt über das Licht und das Dunkel und verteilt Tag und Nacht. Sie verzweifelt nicht.

An dem Tag ließ sich Henning seine Abfindung ansagen. 16 000 Mark wurden ihm vorgerechnet. Er hatte ausgesorgt für vielleicht zwei Jahre, und das Arbeitsamt stellte ihn hinten an. – Bei Berndts ging das Leben auch weiter.
Die Geschichte hat sich nicht ereignet. Sie ist nur, sehr verkürzt und unbeschönigt, aufgeschrieben. Es war hart zu denken, daß sie erfunden ist; nur etwas wäre ebenso schlimm gewesen: wenn sie stattgefunden hätte.

Volker Braun
Sein Werk
im Suhrkamp Verlag

Werktage I. Arbeitsbuch 1977-1989.
Mit zahlreichen Abbildungen
Gebunden. 2009

Flickwerk
Klappenbroschur. 2009

Der Stoff zum Leben 1-4
Gedichte
Bibliothek Suhrkamp 1447. 2009

Machwerk oder
Das Schichtbuch des Flick von Lauchhammer
Gebunden. 2008

Das Mittagsmahl
Mit Kupferstichen von Baldwin Zettl
Insel Bücherei 1289. 2007

Auf die schönen Possen
Gedichte
Gebunden. 2005

Der berüchtigte Christian Sporn. Ein anderer Woyzeck
Zwei Erzählungen
Insel Bücherei 1259. 2004

Das unbesetzte Gebiet. Im schwarzen Berg
Gebunden. 2004

Wie es gekommen ist
Ausgewählte Prosa
Gebunden. 2002

Die Verhältnisse zerbrechen
Rede zur Verleihung des Georg-Büchner-Preises 2000
Mit der Laudatio von Gustav Seibt
edition suhrkamp. 2000

Trotzdestonichts oder Der Wendehals
suhrkamp taschenbuch 3180. 2000

Das Wirklichgewollte
Gebunden. 2000

Lustgarten. Preußen
Ausgewählte Gedichte
suhrkamp taschenbuch 3124. 2000

Tumulus
Klappenbroschur. 1999

Wir befinden uns soweit wohl.
Wir sind erst einmal am Ende
Äußerungen
edition suhrkamp 2088. 1998

Die Unvollendete Geschichte und ihr Ende
Bibliothek Suhrkamp 1277. 1998

Die vier Werkzeugmacher
Bütten-Broschur. 1996

Bodenloser Satz
Bütten-Broschur. 1990

Gesammelte Stücke. Zwei Bände
edition suhrkamp 1478. 1989

Unvollendete Geschichte
suhrkamp taschenbuch 1660. 1989

Verheerende Folgen mangelnden Anscheins
innerbetrieblicher Demokratie
Schriften
edition suhrkamp 1473. 1988

Hinze-Kunze-Roman
suhrkamp taschenbuch 1538. 1988

Berichte von Hinze und Kunze
edition suhrkamp 1169. 1983

Unvollendete Geschichte
Bibliothek Suhrkamp 648. 1979

Es genügt nicht die einfache Wahrheit
Notate
edition suhrkamp 799. 1976